LA LOI DE LA MER

DAVIDE ENIA

LA LOI DE LA MER

récit

Traduit de l'italien
par Françoise Brun

ALBIN MICHEL

« Les Grandes Traductions »

Édition originale italienne parue sous le titre :
APPUNTI PER UN NAUFRAGIO

À Silvia, mon ancre

À Lampedusa, un pêcheur m'avait dit : « Tu sais quel poisson est revenu ? Le loup de mer. »

Il s'était allumé une cigarette et l'avait grillée jusqu'au bout, en silence.

« Et tu sais pourquoi les loups sont revenus ? Tu sais ce qu'ils mangent ? Tu m'as compris. »

Il avait éteint sa cigarette et il était parti.

Rien, il n'y avait rien à ajouter.

J'avais gardé de Lampedusa le souvenir des mains calleuses des pêcheurs, les récits des cadavres remontés chaque fois dans les filets – « Chaque fois ? – *U' sai che bole dìri*[1] *?* Chaque fois. » Et le souvenir d'un rafiot échoué au soleil, seul témoin pour moi des événements de cette période historique. La corrosion, la poussière, la rouille. Et les réticences des îliens sur ce mot de « débarquement » employé à tort et à travers quand c'étaient en réalité des sauvetages : les bateaux convoyés jusqu'au port, les pauvres hères conduits dans le centre de séjour

1. « Tu sais ce que ça veut dire ? » (*Toutes les notes sont de la traductrice.*)

temporaire. Les gens qui leur donnaient des vêtements, dans une surenchère de miséricorde, loin des projecteurs et de toute publicité, parce qu'il faisait froid et que c'étaient des corps à réchauffer.

*

La brume déformait mon champ de vision.

La ligne de l'horizon vibrait.

Pour la énième fois je constatais avec étonnement la capacité de Lampedusa à déstabiliser ses visiteurs, à susciter en eux un fort sentiment d'isolement. Le ciel si proche qu'il vous tombe presque sur les épaules. La voix omniprésente du vent. La lumière qui frappe de partout. Et devant les yeux, toujours, la mer, éternelle couronne de joie et d'épines. Les éléments s'abattent sur l'île sans que rien les arrête. Pas de refuge. On y est transpercé, traversé par la lumière et le vent. Sans défense.

La journée avait été très longue.

J'entendis la voix de mon père qui m'appelait, tandis que le sirocco brouillait mes pensées.

*

J'avais rencontré le plongeur chez un ami.

Mais il n'y avait que nous deux.

La première et persistante sensation était celle-ci : c'était un géant.

Il avait dit tout de suite : « Pas d'enregistrement. »

Assis à l'autre bout de la table, il croisait les bras.

Et les avait gardés croisés.

« Moi, le 3 octobre, je ne veux pas en parler », dit-il d'un ton sec et sans réplique.

Sa voix était basse et mesurée, contrastant avec sa masse imposante. Des mots de mon dialecte, le sicilien, affleuraient dans ses phrases mais prononcés avec l'accent de chez lui – il venait des montagnes lointaines du nord de l'Italie, où la mer est une abstraction. Dix années à travailler en Sicile avaient laissé des traces. Tantôt les sonorités du Sud dominaient tout entier ce corps gigantesque, tantôt la lutte entre ses deux identités cessait, et il me fixait avec toute la majesté des montagnes du Nord.

Il était devenu plongeur par hasard, une occasion de travail saisie au vol après le service militaire.

« Nous les plongeurs, on est habitués à la mort, on nous en parle tout de suite, parce que c'est la donnée essentielle. Dès le premier jour d'entraînement, ils nous disent : en mer, on peut mourir. Et c'est vrai. Quand tu plonges, il suffit d'une erreur, et tu meurs. Un mauvais calcul, et tu meurs. Tu dépasses tes limites, et tu meurs. Sous l'eau, la mort t'accompagne, toujours. »

Il avait été envoyé à Lampedusa comme *rescue swimmer*, un de ces hommes qui montent sur les vedettes côtières en combinaison orange et qui plongent pendant les opérations de secours.

Il raconta les cours de plongée difficiles, la beauté mystérieuse des immersions, quand la mer est si profonde que la lumière du soleil ne passe plus, quand tout est sombre et silencieux. Depuis qu'il était sur l'île, il se soumettait à des entraînements spéciaux pour accomplir au mieux sa nouvelle mission.

Il déclara : « Je ne suis pas du tout de gauche, je suis même à l'opposé. »

D'abord monarchiste, sa famille était devenue fasciste, et il se sentait proche de ces idées.

Il ajouta : « Ici on sauve des vies. En mer, toutes les vies sont sacrées. Si quelqu'un a besoin d'aide, on lui porte secours. Il n'y a ni couleur de peau, ni ethnie, ni religion. C'est la loi de la mer. »

Soudain, il me fixa.

Même assis, il était impressionnant.

« Et quand tu sauves un enfant en pleine mer et que tu le tiens dans tes bras… »

Il se mit à pleurer, en silence.

Les bras toujours croisés.

Je me demandai ce qu'il avait vu, ce qu'il avait vécu, combien de morts le géant en face de moi avait affrontés.

Après une longue minute, il reprit. Ces gens feraient mieux de ne pas partir, l'accueil en Italie marchait mal, un gâchis, une incurie inimaginables. Il répéta : « En mer, pas d'alternative, chaque vie est sacrée et on aide ceux qui en ont besoin, point. » Plus qu'un mantra, un acte de dévotion.

Des mots égrenés avec lenteur, comme des pas sur la pente d'une montagne.

« Le plus grand danger, c'est quand les bateaux sont très proches. Si la mer est agitée, on risque la collision, et toi, si tu te retrouves au milieu, tu es écrasé. Il n'y a qu'une fois où j'ai failli y passer : il y avait une mer de force 8, j'étais à l'eau et je tournais le dos à un bateau surchargé, quand j'ai vu la coque de notre vedette arriver sur moi, poussée par une vague de sept mètres. Je me suis lancé sur le côté, d'un coup de reins dont je ne me serais jamais cru capable. Les coques se sont heurtées. Des gens sont tombés à l'eau. J'ai commencé à nager pour les récupérer. Au retour de l'intervention, j'avais encore devant les yeux l'image de cette coque qui allait m'anéantir. Je suis resté assis au bord de la jetée quelques minutes, seul, pour me débarrasser de cette sensation d'avoir frôlé la mort. »

Il expliqua que lorsqu'on arrive à l'endroit d'où a été lancé l'appel de détresse, le panorama de pleine mer qui s'ouvre n'est jamais le même.

« Quelquefois tout se passe bien, les gens sont tranquilles, la mer est calme, on arrive à les faire monter à bord en peu de temps. Mais parfois ils sont tellement agités pendant les opérations de secours que le bateau qui les transporte risque de se retourner. Il faut toujours avant tout les calmer. C'est la priorité. Parfois le bateau vient de se retourner, il y a des gens éparpillés partout. Les Africains, c'est physique, ils ont moins de masse graisseuse, ils coulent plus vite. Il faut agir rapidement. Il n'y a pas de protocole. Tu décides sur le moment. Par exemple, on nage à plusieurs en cercle pour enrouler une corde autour d'un groupe de personnes et les remonter tous. Mais dans une mer agitée, ils peuvent aussi couler sous tes yeux. Dans ce cas-là, il faut en attraper le plus possible. »

Suivit une longue, très longue pause. Son regard s'était

immobilisé sur le mur derrière moi. Sur ce point de la Méditerranée qu'il ne pourrait jamais oublier.

« Quand tu as trois personnes en train de couler près de toi, et cinq mètres plus loin une mère et un bébé qui se noient, tu fais quoi ? Tu vas vers qui ? Tu sauves qui en premier ? Les trois qui sont devant toi, ou la mère et son nouveau-né là-bas ? »

Une question vertigineuse.

La courbe de l'espace et du temps s'inversait, la scène impitoyable se présentait à nouveau devant ses yeux.

Le passé faisait résonner les cris à ses oreilles.

Un géant, ce plongeur.

Invulnérable, en apparence.

Mais un saint Sébastien criblé de dilemmes obsédants.

« Le bébé est tout petit, la mère très jeune. Ils sont à cinq mètres. Et près de moi trois personnes en train de se noyer. Lesquels sauver, s'ils coulent tous en même temps ? Vers qui aller ? Que faire ? Dans certaines situations, tu penses mathématiques. Trois, c'est plus que deux. Trois vies, c'est une vie de plus. »

Il se tut.

Dehors, des nuages. Il soufflait un vent de sud-ouest, la mer était agitée. Chaque fois, j'ai le sentiment de me trouver face à des êtres qui portent en eux tout un cimetière.

*

Je voulais téléphoner à mon oncle Beppe, le frère de mon père. Nous nous appelions assez souvent. Il me demandait : « Pourquoi il ne m'appelle jamais, mon frère ? » Je répondais : « Moi non plus, Beppuzzo, il ne m'appelle jamais, et je suis son fils aîné. Il est comme ça. »

Le téléphone sonna plus d'une minute dans le vide.

Je raccrochai et revins dans la pièce.

Nous dînions de thon aux oignons à l'aigre-doux, avec une salade de fenouil, orange et hareng fumé.

Quatre personnes à table : Paola, Melo, mon père et moi.

Nous étions chez Paola, une amie à moi, une ancienne avocate qui vit depuis des années à Lampedusa où elle gère, à Cala Pisana, avec son compagnon Melo, une maison d'hôtes qui me sert habituellement de base pour mes recherches sur l'île.

J'expliquais à Paola ce que je pensais de notre très longue journée. Melo acquiesçait parfois, d'une simple interjection ou d'un monosyllabe. Mon père ne disait rien, convive silencieux. Patient, les yeux sur celui qui parlait, il faisait preuve d'une qualité d'écoute développée par plus de quarante ans de cardiologie. Son attitude invitait à poursuivre.

Ce qui arrivait à Lampedusa, c'était bien plus, pour moi, que des naufrages ou le décompte des survivants, la somme des morts.

« C'est bien au-delà de la traversée du désert et de la Méditerranée. Ce roc en pleine mer est devenu un symbole, à la fois puissant et insaisissable, qu'on étudie et qu'on décrit sous des formes différentes : reportages, documentaires, récits, films, biographies, études post-colonialistes ou ethnographiques. Le nom de Lampedusa, en réalité, c'est un fourre-tout : les migrations, les frontières, les naufrages, la solidarité, le tourisme, la haute saison, la marginalité, les miracles, l'héroïsme, le désespoir, la souffrance, la mort, la renaissance, l'accueil. Tout ça dans le même mot, un amalgame qui reste encore sans interprétation claire ni forme identifiable. »

Mon père se taisait toujours. Ses yeux bleus étaient un puits, au fond duquel ne se lisait aucun jugement.

Paola venait de servir le café.

« Lampedusa un nom fourre-tout, dit-elle à mi-voix, acquiesçant plus à ses propres paroles qu'aux miennes. C'est vrai que dans un fourre-tout on peut mettre tout et n'importe quoi. »

Sa voix s'élevait à mesure que son rythme s'accélérait.

« Lampedusa, ça veut dire tout et son contraire. Prends le centre où on amène les jeunes qui débarquent. Tu te rappelles ? Tu l'as vu quand tu es venu, l'année du printemps arabe. »

À l'été 2012, j'avais demandé à quelques *piccirìddi*[1] de l'île rencontrés sur la plage : « Vous n'allez jamais au centre ? » J'imaginais que la structure où l'on amenait ceux qui abordaient à Lampedusa était pour eux un pôle d'attraction. « Pourquoi on irait ? » avaient dit les gamins, me prenant à contre-pied. Moi qui avais cru que la présence de ce centre susciterait une énorme curiosité, et qu'il serait au cœur des conversations, des jeux, de l'aventure. La racine même de l'épopée.

« Vous m'y emmenez ? leur avais-je demandé, hésitant, prévoyant ma défaite.

1. « Gamins », en dialecte sicilien.

– Ah non, alors ! »

Ce centre ne les intéressait pas, ne les avait jamais attirés. Après l'avoir vu, je compris mon erreur : je leur avais parlé avec mes critères d'adulte. Il n'y avait que des cailloux sur la route qui menait au centre, des broussailles, des murs de pierres sèches où pointaient de petits écriteaux À VENDRE. Seule forme de vie : le vacarme des cigales. L'endroit était aride. Évidemment que ces *picciriddi* n'y allaient pas, impossible de jouer là. Les mythes ne se construisent pas sur le vide.

Le centre avait été créé dans une ancienne caserne militaire. Quelques bâtiments, une esplanade, une clôture. Un peu comme une prison.

« Quelque chose a changé ces dernières années dans le centre ? demandai-je à Paola.

– Le nom. Au début on l'appelait le centre de séjour temporaire, puis le centre d'identification et d'expulsion. Maintenant c'est un *hotspot*, va savoir d'où ça vient. Les gouvernements passent, les noms changent, mais la structure reste la même : on peut y accueillir deux cent cinquante personnes, trois cent quatre-vingt-une en cas d'urgence. Le nombre de sanitaires et de lits reste le même. En 2012 on a empilé là-bas plus de deux mille personnes pendant des jours et des jours, sans leur dire ce qui allait leur arriver. Le monde entier applaudissait le printemps arabe et emprisonnait ses acteurs. Est-ce que c'était la meilleure réponse à leur offrir ? Tu sais ce qu'on provoque en enfermant trop de gens dans un espace trop petit ? De la colère. On crée des bêtes. D'ailleurs il y a eu une révolte, des matelas brûlés, une aile incendiée. »

Mon père écoutait, imperturbable, indéchiffrable, comme s'il emmagasinait tout cela. Melo se mordait la lèvre, Paola continuait, les yeux sur sa tasse de café.

« Le centre est censé être un lieu de confinement. Au moins sur le papier. Mais il y a un trou dans le grillage, qui doit dater de 2011, peut-être d'avant. C'est un grand trou, une sorte de sas qui permet à ces jeunes de sortir faire quelques pas, d'aller au village essayer, grâce à quelques habitants, de contacter leurs proches sur Internet. Tu fais quoi si un gamin te dit qu'il voudrait parler à sa mère pour lui dire qu'il est vivant ? Tu lui refuses ta connexion ? »

Elle tournait sa cuillère. Le son du métal contre la porcelaine rythmait ses paroles comme un contrepoint nécessaire pour ne pas perdre le fil, pour ne pas crier.

« Crois-moi, Davidù, heureusement qu'il est là, ce trou. C'est une porte, ça leur permet de ne pas se sentir comme des animaux en cage. Tu comprends ? Le centre est gardé par la police, il faut une autorisation spéciale pour entrer. Même pour le curé. Comme ça, on sauve la face. Mais ce trou dans le grillage existe depuis toujours. Tout le monde le sait et personne n'intervient. Et encore une fois : heureusement. Voilà un exemple concret de la cohabitation ici entre l'urgence et l'hypocrisie, la bureaucratie et la solidarité, le bon sens et le culte des apparences. Lampedusa est un fourre-tout qui réunit tous ces contraires, c'est vrai. »

Par la fenêtre ouverte entrait la rumeur de la mer, l'eau qui gonfle, se déverse, se brise sur le sable, repart en arrière, recommence à l'infini. Melo, assis en bout de table, s'en remettait comme mon père au silence. Il parlait peu, une poignée de paroles dans une journée, et laborieuses parfois, parce que parler fatigue et la fatigue pèse.

Paola termina lentement son café puis reprit :

« C'est historique, ce qui se passe, Davidù. Et l'Histoire c'est compliqué, c'est fait de plein de morceaux, semblables ou contradictoires, mais qui sont tous des pièces nécessaires pour constituer le tableau final. Attends, je corrige : l'histoire, ce n'est pas ce qui se passe là maintenant, ça fait déjà plus de vingt ans que ça se passe. »

Elle tira sur sa cigarette, la troisième en une demiheure.

« Tu l'as vu ce matin. Quand on assiste à un débarquement, on sent immédiatement la portée de l'événement. Mais même sans ça. L'histoire, elle se fiche de ce que toi, moi, nous ressentons. Elle infléchit déjà le cours du monde, elle dessine l'avenir, elle modifie la nature du présent. C'est un mouvement implacable. Et cette fois, l'histoire fait se déplacer des gens en chair et en os, de tous les âges. Ils partent, ils traversent la mer, ils débarquent. Lampedusa n'est pas une porte. C'est une étape. »

Elle éteignit sa cigarette dans le cendrier, et Melo se versa un reste de bière. L'automne tiède nous envoyait des parfums de sel et de sable chaud.

Après le printemps arabe on avait vu se succéder à Lampedusa des arrivées en masse. Piera, une résidente, s'était retrouvée à Porto Nuovo pour coordonner le travail des agents de police.

« Je vois encore la scène, c'était aberrant ! Tellement de gens avaient débarqué qu'on n'arrivait même plus à aller jusqu'au port. Il y en avait partout, la jetée était pleine à craquer et les débarquements se succédaient. Une vraie procession de bateaux ! Avec des milliers de gens qui en descendaient ! On était venus pour aider, mais on n'était pas préparés au nombre. Un carabinier leur demandait en français d'aller sur la petite colline pour faire de la place, et pendant ce temps d'autres embarcations arrivaient, toutes surchargées. On avait à peine fait avancer les gens que d'autres jeunes débarquaient déjà. Je ne sais pas combien de milliers sont arrivés cet après-midi-là, on n'avait pas le temps de les compter. Sept mille, huit mille, neuf mille, on n'en savait rien. Comment on aurait pu noter les chiffres ? Ce qui est sûr, c'est que les nouveaux arrivants étaient plus nombreux que les habitants. Dès que ceux qui étaient allés sur la colline voyaient apparaître le bateau où se trouvait leur famille – femme, mari, enfants –, ils se précipitaient sur la jetée pour les rejoindre. C'était un bordel inimaginable, la police essayait de les séparer, et nous, on était au milieu, ballottés dans un sens puis dans l'autre. On n'y comprenait plus rien. Les bateaux continuaient d'arriver, l'un après l'autre. Toute une flotte ! Jamais vu ça. Un homme qui débarquait avait un faucon sur le bras. Dans un autre bateau, un jeune Tunisien avait emporté son mouton. Qu'il était beau ! Je n'avais jamais vu cette race, spectaculaire, avec une toison très fournie, toute frisée ! Il était magnifique. Mais on a fini par l'abattre. Impossible de faire autrement. »

Plus d'étrangers que d'habitants sur l'île : au moins dix mille personnes, pour guère plus de cinq mille Lampedusiens. Suscitant à la fois crainte et curiosité, méfiance, mais aussi miséricorde. Des volets restaient fermés, d'autres s'ouvraient pour donner des pulls et des chaussures, offrir un verre d'eau, proposer une prise pour recharger un téléphone, une chaise pour se reposer et une place à table pour partager le pain. Ces gens qu'on avait devant les yeux, c'étaient des gens en chair et en os, pas des statistiques dans le journal ou des chiffres assénés à la télévision. C'était comme de l'assistance par intérim, on retrouva et distribua des cirés, on fit cuire des kilos de pâtes pour ces jeunes qui avaient faim, qui n'avaient rien mangé depuis des jours.

On avait laissé les Lampedusiens livrés à eux-mêmes.

L'année suivante, le gouvernement annonçait qu'il n'y avait eu « aucun débarquement à Lampedusa » : comme une médaille honorifique qu'on accroche à la poitrine.

« C'est vrai, m'avait confirmé Paola en cet été 2012. Les embarcations n'arrivent plus. Même au printemps on n'en a pas vu. Et tu sais pourquoi ? Ils interceptent les bateaux avant et les escortent jusqu'en Sicile : les débarquements ont lieu là-bas, loin des projecteurs. Donc zéro débarquement à Lampedusa. Statistiquement irréfutable. Mais regarde-la, cette île. Elle est brisée, inquiète, prise dans la tempête médiatique, agitée de contradictions. Les gens parlent de moins en moins, sauf pour se plaindre de problèmes concrets, l'absence d'hôpital ou le prix de l'essence, la plus chère d'Italie. Et constater, quelquefois amèrement, que toute l'attention s'est focalisée sur ceux qui arrivent par la mer, alors que les difficultés quotidiennes que nous rencontrons, nous, les habitants, n'intéressent personne. »

La saison touristique, vrai moteur de l'économie de l'île, allait maintenant redémarrer.

De temps en temps, des gens lançaient un regard furtif vers l'horizon.

« Tôt ou tard, m'avait dit un pêcheur, on en reverra sur ces plages. » Cette prédiction, partagée par tous les habitants, se réalisa l'année suivante, le 3 octobre 2013. Un événement qui dépassa les pires cauchemars. Une embarcation se retourna à quelques centaines de mètres des côtes, les eaux se couvrirent de cadavres et Lampedusa fut envahie par les télévisions et les cercueils. Un événement précédé par quelques petits signes. Les cadavres trouvés dans les filets, par exemple, étaient rejetés à la mer pour éviter l'immobilisation administrative des bateaux de pêche. La nouvelle qu'un bateau avait peut-être coulé – « peut-être », car on n'avait d'informations que par ceux qui avaient traversé sur des bateaux voisins – n'arrivait qu'en fin de journal. En l'absence de cadavres, la mort restait confinée dans des territoires qu'on préférait laisser inexplorés. Pourtant, dans les mois qui précédèrent la tragédie, les sauvetages des gardes-côtes avaient été quotidiens, les gens continuaient de traverser le Sahara, les femmes d'être violées dans les prisons libyennes, les bateaux et les canots pneumatiques de partir, de couler ou d'être interceptés.

L'histoire ne s'était pas arrêtée.

« Depuis quand habitez-vous cette maison ? » demanda mon père à Paola et Melo, rompant le silence dont la pièce s'était enveloppée. Je me tournai brusquement vers lui et sentis comme un frisson. Sa posture, à première vue, était inchangée : assis, les jambes et les bras croisés, le front lisse. Mais je vis un léger tremblement dans son pied d'appui, une vibration imperceptible du pantalon à la hauteur de la cheville, un mouvement minuscule qui se perdait à hauteur de genou. Je le connaissais bien, très bien, ce battement du pied : le mien battait de la même façon, quand j'étais sur le point d'avoir une intuition.

Le moment qui précède l'élan.

Un tambourinement qui augmenterait à mesure que progresserait la compréhension des faits.

Je regardais mon père.

Étions-nous à ce point semblables, lui et moi ?

Nos corps parlaient-ils le même langage ?

Sentait-il lui aussi, quand l'angoisse le rongeait, sa respiration s'effondrer dans sa poitrine ?

Paola, allumant sa quatrième cigarette, répondait déjà :

« La trace la plus ancienne de cette maison, c'est une photo de 1957 qui la montre telle qu'elle était alors : une fabrique de glace désaffectée. La photo a été prise par mon père le jour où il est tombé amoureux de Cala Pisana. Avant, il était tombé éperdument amoureux d'un coin en Libye où il travaillait, à côté des fouilles de Sabrata. Il nous parlait toujours de cette plage magnifique et des palmiers qui arrivaient jusqu'à la mer, où il avait tellement envie d'avoir une maison. Mais ses amis et connaissances l'en avaient dissuadé : “N'achète rien en Libye, c'est trop compliqué politiquement, il risque d'y avoir des nationalisations, tu serais exproprié. Sans compter le danger pour toi et ta famille. Toi qui aimes ce genre de paysage, tu devrais plutôt aller faire un tour à Lampedusa." »

Je ne sais pas pourquoi, mais je n'avais jamais posé de questions à Paola sur son passé.

On cherche souvent loin de soi, quand on devrait regarder tout près.

Paola poursuivit tranquillement.

« À l'époque, mon père n'avait jamais entendu parler de Lampedusa, il ne savait même pas que c'était en Italie. Aussitôt sur l'île, il en est tombé amoureux. La vieille bâtisse industrielle a été vendue à l'encan pour cause de faillite et mon père l'a achetée le 8 mars 1966, un an jour pour jour avant ma naissance. Pendant les neuf années qui séparent la photo de 1957 et l'achat, il avait continué à venir sur l'île, seul ou avec ma mère. Cette maison a été la première à être restaurée ici par un non-résident. Les travaux ont été terminés en 1973. Ensuite, nous y avons séjourné. Pendant les années de travaux, mon père, ma mère, mon frère et moi, nous dormions chez les pêcheurs ou dans les rares hôtels de l'époque. On a fait toute l'île, avant de pouvoir enfin dormir chez nous. »

Melo roula une cigarette qu'il posa en équilibre au bord de la table, la partie tabac sur la nappe. Mon père, à côté de moi, agitait son pied toujours au même rythme.

« L'été, le soir, on descendait au village, reprit Paola, dos à la mer. Les grands s'arrêtaient au bar, mon frère et moi on jouait avec des pavés d'asphalte qu'on prenait via Roma, sur les chantiers en cours. Les routes n'étaient pas goudronnées, il n'y avait que de la terre battue, et nous, avec ces pavés noirs, on construisait des cabanes. On passait notre été à jouer avec les autres enfants, tous de Lampedusa, parce que Cala Pisana est depuis toujours la plage des enfants, tandis que les adultes vont plutôt à la Guitgia. Et puis il y a ce grand rocher juste en face de chez nous, la Testa di Polpo. C'est de cette époque-là que date mon amitié avec Simone, un de mes meilleurs amis, avec qui on plongeait de là-haut. »

Simone était un point fixe dans la vie de Paola et Melo. Ils avaient passé beaucoup de temps ensemble. Simone m'avait dit : « Au début pour moi Paola c'était Paolo. Pas qu'elle soit spécialement masculine, mais elle jouait aux mêmes jeux que nous, les garçons. On se jetait *a capuzzùni*, la tête la première, du haut des rochers, et elle aussi. On plongeait de la Testa di Polpo, et elle plongeait aussi. On se disputait, on se bagarrait, on se poussait, et elle en était toujours. C'est seulement en grandissant, quand elle a commencé à prendre des formes, vers dix ans, que j'ai découvert que c'était une fille. Notre amitié dure depuis une éternité. Je me rappelle, quand elle s'est mise avec Melo, la première fois où je suis allé les voir à Palerme. Melo avait l'air de dire : “*Ma chìsto chi bòle ?* Qu'est-ce qu'il veut celui-là ?” Il y avait une amitié tellement belle et forte entre nous que c'était presque lui l'intrus. »

Simone m'avait raconté aussi les rites d'initiation des gamins de l'île. L'un se faisait justement à Cala Pisana : il consistait à plonger la tête la première du rocher de la Testa di Polpo. Âge pour le défi : six ans. Hauteur du rocher : au moins sept mètres. Le second rituel se déroulait à la plage de la Guitgia. Il fallait faire un parcours en apnée. À droite de la plage, il y avait un banc de posidonies où il fallait arriver en nageant sous l'eau. Quand on réussissait à atteindre le banc d'algues en apnée, on devenait un grand. On s'y essayait vers les neuf ans. Distance entre la plage et le banc d'algues : une soixantaine de mètres.

Il avait ajouté en riant : « À Lampedusa, les enfants c'est pas des *picciriddi*, c'est des poissons. » Et c'était vrai. Lui, il était devenu plongeur professionnel. Les derniers étés, ils n'avaient presque jamais le temps de se voir, Paola, Melo et lui. Moniteur de plongée, il était quasiment toujours en bateau, matin et après-midi. Mais même s'ils ne se voyaient pas comme ils auraient voulu, Simone était pour eux une présence tangible, toujours évoquée dans les conversations.

Paola tira une longue bouffée, souffla la fumée avec une lenteur consommée et reprit :

« En 1993, pour la retraite, mon père s'est installé dans la maison, c'est devenu sa résidence principale. Sa vie, essentiellement, c'était : l'été héberger ses amis, l'hiver fermer la maison et parcourir toute l'Italie, hébergé à son tour par eux. Trieste, Madonna di Campiglio, les Cinque Terre. Il est mort fin août 2002, d'une longue maladie. Je l'ai accompagné jusqu'au bout, je suis restée à Palerme pour lui. Puis Melo et moi, en septembre, nous sommes revenus à Lampedusa. L'idée, c'était de s'installer ici et d'ouvrir une maison d'hôtes, pour avoir une source de revenus. Je n'en pouvais plus d'être avocate à Palerme. Aussitôt débarqués, nous sommes allés au *Bar dell'Amicizia* prendre le petit déjeuner, et qui est venu nous saluer ? Mon vieil ami Simone. Il était avec deux couples de jeunes gens. Tout de suite il nous a demandé : “Eh, ces jeunes cherchent un endroit où dormir. Qu'est-ce que vous en dites, vous les prenez ?” Nous avons dit oui. Grâce à Simone, nous avons fait notre première expérience de maison d'hôtes. On leur a demandé dix mille lires par journée et par chambre. Mais la maison était en mauvais état quand nous l'avons retrouvée. Après cet été-là, nous ne sommes revenus qu'à Noël. S'installer à Lampedusa, ça voulait dire tout abandonner. On a réfléchi pendant des jours. Et tout à coup, je te jure que c'est vrai, il s'est passé quelque chose. C'était le matin, j'étais assise sur les W.-C., et je me disais : j'aime bien être ici, mais il me faudrait un signe, quelque chose qui me dise : “Allez, viens !” Et tout à coup, voilà que le tuyau du bidet en face de moi explose et m'arrose de la tête aux pieds. Je ruisselais. Le jet était tellement fort que je ne pouvais même pas appeler Melo à mon secours. Bref. J'ai décidé que c'était un signe, que la maison elle-même me disait : “Viens me réparer, je suis en train de mourir.” Je suis sortie des W.-C. toute dégoulinante et j'ai dit à Melo : “Bon, le tuyau du bidet est percé, on vient s'installer à Lampedusa.” Je suis rentrée seule à Palerme et Melo est resté pour arranger la maison. »

Melo était obligé de donner sa version des faits. Il prit une profonde inspiration, comme pour se préparer : pour certains Palermitains, parler semble un tel effort que cela demande un échauffement poussé ; air dans les poumons, dilatation des côtes, mobilité des narines, des lèvres, du cou. Melo parla, toujours à voix basse. Déjà qu'il parlait, nous n'allions pas en plus exiger qu'il monte le volume.

« Je suis venu à Lampedusa uniquement pour Paola, sans attirance particulière pour l'île. Je suis resté un an et demi d'affilée, après ce Noël 2002. Il n'y avait que le strict minimum, il fallait tout rénover. Impossible ou presque de trouver des ouvriers qualifiés, d'ailleurs ça aurait coûté dix fois plus que ce qu'on avait. Alors je suis resté pour faire les premiers travaux. Parfois j'utilisais ce que la mer apportait, surtout du bois. La poutre au-dessus de la porte, par exemple, c'est une de ces traverses qu'il y a dans les ports, où l'on fixe des pneus de camion qui permettent aux bateaux d'accoster. Pour refaire la cuisine, on a utilisé de très beaux plats-bords arrivés par la mer. »

Melo semblait épuisé. Il avait parlé et, à l'évidence, il lui fallait un café. Paola le devina, se leva, alluma le gaz et fit chauffer la seconde cafetière de la soirée. Il allait y avoir une autre tournée. Mon père semblait apprécier, un vague sourire se dessina au coin de ses lèvres. Dans un dernier effort, Melo alluma sa cigarette, toujours en équilibre sur le bord de la table.

Des années plus tôt, un après-midi, nous étions, Melo et moi, assis côte à côte sur le canapé devant une télévision toujours allumée, et toujours muette. Il m'avait raconté quelques épisodes de sa vie avant sa rencontre avec Paola. De tous les métiers qu'il avait faits – cuisinier, technicien à la Compagnie océanographique ligure, restaurateur –, celui qu'il avait pratiqué le plus longtemps et avec le plus de bonheur avait été celui de skipper. Un été, il devait conduire un bateau des îles Éoliennes à Capri – c'était en septembre 1984, et ils étaient trois, deux amis et lui. Ils avaient été pris dans une tempête terrible en mer Tyrrhénienne, et ils avaient chaviré. Un vrai naufrage, l'eau qui envahit la coque, le bateau qui coule. À bord, il y avait aussi sa moto, qui repose aujourd'hui encore quelque part au fond de la mer. Melo et ses deux amis avaient rapidement sauté du bateau en mettant tout ce qu'ils pouvaient dans le canot pneumatique : une couverture en guise de voile, des gilets de sauvetage, quelques boîtes de thon et des canettes de bière, qui firent office de boisson. Et malgré la terreur du naufrage, Melo avait attrapé les clés de sa moto.

« En fait, j'ai pris mon porte-clés pour un paquet de cigarettes, dit-il en riant. On ne savait plus quoi faire, l'eau entrait par le bas et par le haut, à bâbord et à tribord, le bateau sombrait, pas question de rester des jours et des jours sans fumer. Et enfin… »

Après deux jours en mer, ils avaient vu la terre ferme, ou plutôt des rochers et des broussailles. Ils avaient abandonné le canot et ils avaient marché. C'était le soir, le vent soufflait, ils étaient trempés, à moitié nus. Au bout d'une heure, une lumière : un complexe hôtelier. Sans réfléchir, ils se précipitent sur la porte et frappent. Le portier arrive et se retrouve face à trois individus en slip et gilet de sauvetage. « On est où ? demandent-ils en chœur. – À Settefrati », répondit l'autre. Ils étaient dans la province de Palerme : le courant les avait déportés sur une longue distance en sens inverse.

« C'est la dernière fois qu'on a été ensemble, avec mes copains : dans un canot pneumatique, à la dérive sur la Méditerranée. Depuis, on ne s'est plus jamais retrouvés tous les trois », conclut Melo, comme s'il en prenait soudain conscience.

Pendant le récit de son naufrage, nous avions beaucoup ri.

Paola retira la cafetière du feu pour remplir de petites tasses d'émail bleu. Le sucre était au centre de la table. Paola et Melo se servirent, mon père et moi non. Dans le beau silence du soir, on entendait le ressac et, par intermittence, les cris aigus des puffins. Melo prit les autres tasses, les rinça dans l'évier et revint s'asseoir. Paola s'était tournée et regardait dehors, vers la mer. Melo aussi. Leur regard était arrêté sur le rivage de la crique, à vingt mètres à peine de la fenêtre.

Mon pied tambourinait.

« Vous regardez quoi ? » demandai-je. Comme si la question montait de mon pied et de ce mouvement sur le sol. Le pied de mon père aussi battait plus vite. Sans le savoir, nous jouions dans la même équipe, nous tenions le tempo ensemble, tendus tous deux vers les prochaines paroles de Paola et Melo. Depuis le début, c'était à cela que mon père voulait en venir. Sa première question visait à préparer le terrain, abattre les défenses, réveiller les voix du passé.

Paola se retourna vers nous, alluma une nouvelle cigarette, la regarda attentivement, comme cherchant ses mots dans les volutes que dessinait la fumée : les cercles montaient, se déformaient, se dissipaient.

« Je n'oublierai jamais cette scène. J'étais devant la télévision, on passait *L'Isola dei Famosi*[1]. Melo pianotait sur l'ordinateur. Il pleuvait. À un moment, on entend des voix. Plein de voix. Je me lève, je sors dans la nuit sous la pluie et je vois surgir de l'eau une quantité énorme, incalculable de gens. Aussitôt je dis à Melo : "C'est un débarquement." On se regarde dans les yeux et on dit tous les deux : "Il faut tout fermer." Et j'ai à peine prononcé ces mots que je m'exclame : "Putain mais t'entends ce qu'on dit ? Il faut aller les aider." Et on est sortis. »

Elle écrasa sa cigarette dans le cendrier puis regarda ses mains et ses doigts, comme si le passé était resté sous ses ongles.

Ce fut Melo qui continua :

« Il faisait un noir d'encre et nos torches électriques n'éclairaient pas assez. J'ai approché le plus possible la voiture de la plage, pour leur donner le maximum de lumière et qu'ils puissent se repérer. Leur radeau pneumatique s'était ensablé et ils se jetaient à l'eau pour rejoindre le rivage. Paola a été plus rapide que moi : pendant que je les aidais à descendre du canot, elle a vu un garçon à plat ventre sur la plage, le visage dans l'eau. Je me rappelle exactement la scène : Paola qui court vers la gauche de la crique, qui attrape le garçon et lui relève la tête. Je crois qu'elle lui a sauvé la vie. »

Le ton de Melo restait égal. Comme s'il indiquait la route de navigation entre Palerme et Ustica.

« À l'époque, ceux qui parvenaient à arriver seuls

1. Émission de téléréalité.

à Lampedusa faisaient quelque chose de bizarre qu'ils ne font plus aujourd'hui. Ils démontaient le moteur du radeau pneumatique – il suffit de dévisser deux vis à ailettes – et le jetaient à la mer, pour qu'il ne puisse plus servir, de peur qu'on leur dise : "Retournez d'où vous venez." Cette nuit-là aussi ils l'ont basculé dans l'eau. Ça m'a beaucoup frappé. Il n'y avait aucun risque qu'on leur dise de repartir, encore moins dans des conditions pareilles. Ils étaient terrorisés. Ils prenaient des affaires dans le canot, leurs papiers ou leur argent, je ne sais pas, ça manquait de lumière, on n'y voyait presque rien et ils étaient très agités. Certains, à peine sur le rivage, changeaient aussitôt de vêtements. Je ne me souviens pas s'il y avait des vieux. C'étaient plutôt des enfants, des jeunes et des adultes. Et un bébé minuscule, dans un berceau improvisé qu'on a sorti du canot et transporté jusqu'à la plage. »

Melo montra le patio à l'intérieur de la maison, dans notre dos, à mon père et moi.

« Aucun n'a voulu entrer. On a eu beau insister, ils sont restés dans le patio. Il ne faisait pas froid, dedans ou dehors ça revenait au même. On a vidé nos réserves, ils avaient faim. Et soif, surtout. On a pris aussi quelques vêtements, des vestes, des couvertures, et des serviettes pour qu'ils se sèchent. »

Paola émergea de la contemplation muette de ses mains, et regarda à son tour vers le patio. Elle embraya sur les dernières phrases de Melo :

« Ils n'ont pas voulu entrer parce qu'ils étaient mouillés et sales. Ils ne voulaient pas déranger. Pendant qu'ils se séchaient, buvaient et mangeaient, j'ai téléphoné pour avertir la capitainerie. Il y en avait une quarantaine... quarante-quatre, quarante-cinq... plus ou moins le nombre que les radeaux transportaient à l'époque. On a attendu, une demi-heure, une heure, et ils sont venus les chercher. Voilà. »

L'histoire semblait terminée, mais le regard de Paola s'attardait sur le patio.

« Je ne les ai plus jamais revus. »

Elle avait croisé les doigts. Puis posé ses mains à plat sur la table, comme pour s'y appuyer.

« Est-ce que vous avez pris conscience de ce que ça signifiait ? » demanda mon père. Son pied ne bougeait plus.

« On en a pris conscience parce que ça se passait sous nos yeux », répondit Melo. (Il commençait à respirer fort, signe que le carburant à mots allait bientôt manquer.) « C'était évident qu'il se passait quelque chose. Mais jusque-là les débarquements se faisaient dans le port, c'était différent. Sans compter que venant de l'ouest, logiquement ils auraient dû aborder sur la côte ouest. Ici, on est à l'est, devant nous c'est la mer à l'infini, on sait qu'il y a Chypre à environ 650 milles, mais avant il n'y a rien. Si tu arrives par l'ouest, tu débarques sur les plages du versant ouest de l'île. C'est exceptionnel de débarquer ici, on n'est pas sur leur route. Et pourtant ça s'est reproduit, au fil des années. »

Il prit une cigarette dans le paquet de Paola et la porta à ses lèvres sans l'allumer.

« Je ne m'attendais pas à ce qu'ils arrivent sur la plage de Cala Pisana. C'est une question technique : pourquoi venir jusqu'ici quand ils auraient pu débarquer des heures avant sur une plage de l'ouest ? Je suis un homme de la mer, et pour moi un sauvetage en vaut un autre, ici ou en pleine mer ça ne fait pas de différence. »

Il alluma sa cigarette, inspira, reposa le briquet, souffla la fumée.

« Désolé de ne pas pouvoir en dire plus. »

Son intervention était terminée.

Paola dénoua ses mains et nous regarda à nouveau dans les yeux. Elle avait encore quelque chose à dire, elle :

« Je crois que le plus traumatisant a été notre peur initiale. Ce sentiment reste en moi comme une faute, même si ensuite je l'ai analysé et je me suis dit : "OK, la peur c'est normal, c'est humain, l'important c'est de la dépasser." En tout cas, Melo et moi, on en a eu honte. Ça n'a duré qu'un instant, mais notre réaction instinctive a été : "Il faut tout fermer." Je n'oublierai jamais ça. J'ai pensé à tout ce que je défendais jusque-là et qu'au moment d'agir j'ai oublié. »

Elle se mit à rire.

« Je prêchais la bonne parole, mais le moment venu, bonsoir. J'avais mes idées d'intellectuelle de gauche : il faut être accueillant, ne pas avoir peur. Mais une fois confrontée à la réalité, tu parles… »

Elle éclata d'un rire libérateur.

« La première fois que Loredana, une de mes amies de Cantù, est venue à Lampedusa, elle a pris pension chez nous. Elle est tombée amoureuse de l'île, et elle est revenue plusieurs fois pour y travailler. Elle aussi était très ouverte, progressiste, avec des idées de gauche, quoi. Elle travaillait à l'accueil sur un grand caïque, où elle dormait seule, le soir, dans le port. Un matin, vers l'aube, elle entend des bruits bizarres au-dessus de sa tête, sur le pont. Des bruits de pas. Par le hublot elle voit des jambes noires. Plein de jambes noires. Il s'était passé quoi ? Arrivé au port, le bateau s'était amarré au caïque, qui avait servi de ponton. Loredana m'a dit que sa première réaction avait été de s'enfermer dans la cabine. Mais aussitôt après, elle s'est dit : "Nom de Dieu, mais qu'est-ce que j'ai ?" Elle a ouvert la cabine, et elle est montée sur le pont pour aider. Quand elle m'a avoué ça, j'ai pensé à ma propre réaction. Ce sont deux réflexes opposés, mais qui vont ensemble : se protéger de l'autre, et ensuite l'aider. Aider aussi est instinctif. La peur de ce qui est différent, de ce que tu ne connais pas, qu'il soit humain, animal ou naturel, c'est normal. Si tu la dépasses une première fois, il y a des chances qu'elle ne revienne pas. Ou en tout cas tu réagiras plus vite. Quand Loredana m'en parle, je me retrouve dans tout ce qu'elle dit : les mêmes mots, les mêmes expressions, le même sentiment de honte, et le besoin de se racheter, sans parler de la complaisance envers soi-même. »

Paola se leva. Elle avait terminé, mais il manquait un morceau du puzzle, un morceau essentiel. Il était onze heures passées et Melo s'était retiré, il préférait aller se coucher, autant de phrases l'avaient fatigué.

« C'était quand, ce débarquement ? »

Mon amie, d'ordinaire lucide et précise, m'avoua qu'elle ne s'en souvenait pas.

« D'habitude j'ai une excellente mémoire et je retiens un tas d'informations. Mais là, non. Je n'arrive pas à me souvenir. »

Elle regarda autour d'elle.

« C'était sûrement avant 2005, parce que je les avais entendus parler à l'extérieur, donc ce devait être les anciennes fenêtres. Les nouvelles sont isolantes. Donc, ça s'est passé en 2003, ou en 2004… »

Elle parlait avec assurance, mais s'arrêta soudain et fit machine arrière.

« Non, attends… c'était 2004, puisqu'on a déménagé en juin 2003… oui, mais j'étais sur le canapé devant la télé… »

Elle luttait contre un blocage de sa mémoire.

On met parfois des décennies à dépasser certains traumatismes.

« Je n'arrive pas à me rappeler, vraiment. Mais je peux te dire exactement ce que j'ai fait, te raconter le moment où on s'est retrouvés tous les deux dans le salon, on s'est regardés et on a dit : "Il faut tout fermer." »

Tout à l'heure, elle avait mimé la scène : leurs gestes, leur position dans la pièce, la distance entre eux, augmentant ou diminuant à mesure que s'imposait à eux la conscience de cette réalité à vingt mètres de leurs fenêtres. Il ne manquait plus que la date.

Paola revint s'asseoir, se versa un peu de café, froid à présent, le sucra et le but avec une extrême lenteur, épuisée par cette évocation. Même sa voix paraissait fatiguée et avait baissé d'un ton.

« J'ai passé la nuit dans la terreur de trouver un mort au réveil, à la lumière du jour. Dans le noir, on ne voyait rien. Ça a toujours été ma hantise : de quelle façon mon rapport à ce lieu, à cette mer, à cette maison, à ce paysage changerait si je tombais un jour sur un… La mer charrie tellement de choses… On a eu un vent d'est et il y a deux morceaux de bois magnifiques à récupérer, qui se sont échoués sur la plage… mais si la mer devait rejeter un… je ne sais pas… je n'ai jamais vu de mort. Jamais. J'ai toujours évité, d'ailleurs. »

Elle se leva, nous dit bonsoir et rejoignit Melo.

Mon père et moi nous embrassâmes sur les deux joues avant de gagner nos chambres respectives.

J'avais un SMS.

L'oncle Beppe.

Il écrivait : « Excuse-moi, je n'ai pas pu te répondre, j'étais fatigué. »

C'était trop tard pour le rappeler.

Une fois couché, je sombrai en un instant.

*

« Le premier débarquement, on ne l'oublie jamais », me répétaient, mi-sérieux mi-facétieux, ceux qui en avaient vu plusieurs.

Ils avaient raison.

On était en novembre, le matin.

Le dîner pendant lequel Paola et Melo nous raconteraient leur premier débarquement aurait lieu le soir de ce jour-là.

Mon père et moi venions d'atterrir à Lampedusa.

Nos yeux étaient encore vierges.

Pétrifié, je regardais la scène avec ébahissement : des gens, sauvés en pleine mer par les gardes-côtes la nuit précédente, des hommes, des femmes et des enfants se tenaient debout sur les trois vedettes qui aborderaient tour à tour pour les faire descendre.

Ils étaient extrêmement nombreux.

J'étais sur le môle Favaloro, grâce à Paola qui m'avait donné une carte du Lampedusa Forum solidaire, une association qui comprenait à la fois des laïques et des catholiques et avait l'autorisation de se tenir sur la jetée pour aider les arrivants. Mon père était à l'extérieur, de l'autre côté de la grille.

Paola était venue nous chercher à l'aéroport et nous avait annoncé tranquillement qu'un débarquement allait avoir lieu.

« Tu veux y aller, Davidù ? C'est pour ça que tu es venu, non ? »

Les bénévoles avaient apporté des thermos de thé chaud, préparaient des couvertures de survie et ouvraient des cartons de barres chocolatées. J'imitai leurs gestes.

La première des trois vedettes côtières approcha. Les membres de la Croix-Rouge et tout le personnel médical mirent des gants et des masques, on lança des conseils pour la descente sur la jetée et le débarquement commença, sous le regard des policiers en tenue anti-émeute.

Quelques semaines plus tôt, sur un coup de tête, j'avais demandé à mon père de m'accompagner à Lampedusa.

Je n'avais jamais voyagé avec lui.

« Papa, qu'est-ce que tu fais début novembre ? »

Depuis qu'il avait pris sa retraite, il s'était découvert

une passion pour la photographie et je m'étais dit qu'à Lampedusa il pourrait faire des photos. Je le lui demandai au téléphone, certain qu'il refuserait, et j'attendis. C'est le principe dans le Sud, quand on parle à son père : il laisse une large parenthèse de silence avant de répondre, quoi qu'il ait à dire. Rituel nécessaire, indispensable. Après quelques longues secondes stressantes, la voix de mon père résonna à l'autre bout du fil :

« Et toi, qu'est-ce que tu fais début novembre ? »

Réponse à une question par une autre. Stratégie classique d'entretien médical. Impossible de rivaliser avec quelqu'un qui a pratiqué cette discipline plus de quarante ans.

« Je vais à Lampedusa. Toi qui n'y es jamais allé, veux-tu m'accompagner ?

– Tu n'y es pas déjà allé ?

– Si, plusieurs fois. »

Autre silence, interminable. Quand je suis au téléphone avec mon père, rien ne vient me sauver de cette Sibérie affective. Puis, comme le loup apparaît sur la neige, sa voix revient tout à coup :

« Et combien de temps on reste ?

– Cinq, six jours maximum.

– Et on dort où ?

– Là où je vais toujours : chez mon amie Paola. Elle a une maison d'hôtes. Chacun sa chambre. »

J'imaginais mon père se promenant dans une chambre sans limites, sans angles et sans murs.

« Est-ce qu'on peut payer par carte ?

– Non, papa. Mais tu peux toujours faire un virement avant de partir. »

Un silence à nouveau, mais pas de même nature : on entendait le bruit des engrenages, le raisonnement tout entier, le dilemme finalement résolu.

« Alors je prendrai du liquide.

– *Amuni*[1], donc tu viens ?

– Oui. »

Cette réponse immédiate me cloua le bec, tant elle était inattendue.

Aucun silence préparatoire.

Et mon père avait aussitôt enchaîné :

« Je veux emporter mon appareil photo.

– C'est pour ça que je voulais te demander de faire le voyage avec moi. »

Paroles égrenées avec lenteur, à mi-voix. Mon cœur s'emballait.

Mon père avait changé de ton. Il riait presque.

« Ça doit être stimulant et intéressant à photographier, même si ce n'est pas un endroit facile, non ? »

Il m'avait posé une question à laquelle je ne m'attendais pas. Il m'avait demandé mon avis. J'étais embarrassé. J'essayai sa technique, répondre à une question par une autre :

« Papa, est-ce que ton métier de cardiologue a influencé ta façon de photographier ? »

J'essayais désespérément de me donner un ton.

Là encore, mon père répondit du tac au tac :

« En tant que médecin, je récoltais une foule d'indices pour les assembler et leur trouver un sens : des symp-

1. Selon le contexte : « d'accord, partons », ou « allez, allons donc, attends ».

tômes, des signes, des résultats d'analyses. Au fond, ce métier, c'est ça : faire la somme des symptômes, des signes, des analyses pratiquées et chercher l'explication. On pose une hypothèse diagnostique, puis on examine ce qui la corrobore. Pour ça, je dois pouvoir m'orienter, savoir quoi chercher et quoi regarder. La médecine d'aujourd'hui est aveugle, ces examens tous azimuts sont bien la preuve que le médecin ne sait plus regarder. Et s'il ne sait pas regarder, c'est qu'on ne le lui a pas appris. Moi, on me l'a enseigné. Mon maître, le professeur Geraci, nous a appris l'importance du regard dans l'analyse médicale. Donc je dirais que oui, mon regard a été influencé et formé par mon métier. Au fait, j'ai acheté un nouvel objectif, j'ai hâte de l'essayer. Qu'en penses-tu, j'apporte aussi mon trépied ? »

Je n'étais pas prêt à une telle pluie de paroles paternelles.

Elles me submergeaient.

« Oui, oui, prends-le », balbutiai-je, avant de mettre rapidement un terme à la conversation, avec la sensation étrange qu'ont peut-être eue ceux qui se sont réveillés à Berlin le lendemain de la chute du Mur.

Le Sud souffre d'une difficulté à communiquer venue d'une culture séculaire où se taire est une preuve de virilité. « *Omo di panza* » est une manière flatteuse de désigner celui qui est supposé avoir assez d'estomac pour tout garder pour lui : les doutes, les secrets, les traumatismes. C'est un trait distinctif du paternalisme : les garçons apprennent dès l'enfance l'art de se taire. Parler, c'est une activité de *fimmina*. Les faibles parlent, les vrais mâles restent muets. La consigne du silence, seuil de ce roc presque inébranlable qu'est l'*omertà*, est une condition *sine qua non* d'intégration. Bref : « *A megghiù parola è chìdda ca' un si dice*, la meilleure parole est celle qu'on ne dit pas. »

Il n'est pas étonnant que mon père ait trouvé dans la photographie le moyen d'expression idéal. Dans cet environnement asphyxiant, quasi analphabète sur le plan des sentiments, incapable de nommer son désir, je vois ses photos comme une tentative d'ouverture au réel. Elles sont, en un certain sens, les paroles non dites. Le moyen qu'a trouvé mon père pour dialoguer avec lui-même, admettre son impuissance face à une situation, prendre la mesure d'un échec et aller au cœur de la raison des choses, sans chercher pour autant une réponse immédiate. En même temps, la photographie aspire à être autre que soi, en devenant symbole, en remplissant ces silences que les mots ne peuvent combler.

On commença par descendre les bébés, qui étaient nus. Un garde-côte portait une enfant minuscule enveloppée dans une couverture de survie, tellement petite qu'on aurait dit une poupée. Ses collègues le soutenaient pour qu'il garde l'équilibre et prenne pied sur le quai en toute sécurité. Là, la petite fut remise à une infirmière. Cela fut fait rapidement, et avec soin. Pendant qu'on emmenait la *piccirìdda*, un bout de chou de trois, quatre mois, le garde-côte la surveillait du coin de l'œil sans cesser de lui sourire.

Papa, éprouvez-vous le même sentiment, vous les médecins, quand vous sauvez la vie d'un enfant ?

On apporta ensuite un autre bébé, un garçon, de quelques mois lui aussi. J'avais l'impression d'assister au passage d'un témoin de verre, tant était grand le soin mis à transporter ce petit corps. L'équipe médicale, sous une tente, examinait les deux nouveau-nés. Alors un adulte descendit du bateau. Un seul. Un Sub-Saharien, père du premier bébé, qui s'approcha de sa fille. Du bout de l'index il lui caressait le crâne et remerciait tous ceux dont il croisait le regard, baissant la tête en signe de révérence, serrant les dents pour ne pas éclater en sanglots. Père et fille montèrent dans l'ambulance, avec une bénévole de la Croix-Rouge, l'autre bébé dans les bras. On les emmenait au dispensaire pour des examens complémentaires.

Commença alors le débarquement des autres enfants. Une vingtaine, qui avaient cinq, six, sept, huit ans. Il n'y eut besoin de porter personne, ils tenaient sur leurs jambes, tous pieds nus, à part deux, chaussés de socquettes en éponge. Ils avaient des T-shirts colorés, des shorts, des vêtements qui s'arrêtaient au-dessus du genou, et se serraient dans les couvertures de survie. Une petite fille jouait avec : elle s'en faisait comme une cape, qui semblait, dans le soleil, envoyer des éclats de lumière. Un autre *picciriddo* était si fatigué qu'il s'assit par terre, s'adossa contre le muret de la jetée, ferma les yeux et s'endormit.

« *Te ccà*[1] », dit Paola en me tendant un sac plein de petits objets à distribuer en même temps que la nourriture, le thé et les jus de fruits : des dinosaures violets

1. « Prends ça. »

d'une dizaine de centimètres, en tissu, doux au toucher. La procession effrayée et désorientée des enfants en fut un peu apaisée. Les plus petits se concentrèrent aussitôt sur le dinosaure. C'était la clé d'un monde de joie. Aucun ne pleurait. Ils regardaient parfois autour d'eux, sans comprendre où ils étaient. Tous venaient du sud du Sahara. C'était la première fois qu'ils voyaient des gens à peau claire, des bateaux à l'ancre, des jouets violets en forme de dinosaure. Ils buvaient du jus de fruits et jouaient en silence. Au retour de l'ambulance, ils furent tous emmenés au dispensaire. Il fallut deux voyages. Un bénévole de la Croix-Rouge prit dans ses bras l'enfant endormi contre le muret, qui dormait toujours. Le sirocco soufflait. Quand l'ambulance partit, libérant de la place sur la jetée, ce fut le tour des femmes.

Les filles qui descendaient à terre étaient jeunes, très jeunes parfois. Vingt ans, quinze ans, douze. Sur la jetée, l'équipe médicale avait commencé les opérations de routine, inspectant les mains de chacune pour repérer des symptômes de gale.

Les bénévoles souriaient et plaisantaient. Paola discutait avec Alberto, un intervenant romain à dreadlocks.

« Les sardines, tu les nettoies sous un filet d'eau, expliquait-elle. Un coup sec avec ton couteau et tu enlèves les viscères, mais vite, sinon la sardine s'imbibe d'eau et le goût de mer s'en va. »

Ils s'affairaient avec les thermos. À côté, deux bénévoles ouvraient un autre carton de barres chocolatées. On versa du thé chaud dans des gobelets en plastique, et on attendit que l'équipe médicale laisse les filles avancer sur la jetée pour se diriger vers l'autocar qui venait de franchir la grille métallique et les conduirait au centre d'accueil. Soudain une fille s'évanouit sans crier gare. Ses jambes cédèrent, et elle tomba comme un sac. Le corps lâchait, à bout de forces. Secourue par le personnel de la Croix-Rouge, elle fut installée sur une civière. Elle avait peut-être quatorze ou quinze ans. Une deuxième s'évanouit, de la même façon. L'effort pour survivre pouvait s'interrompre le temps de se reposer, de reprendre des forces et de repartir. Celle-ci était encore plus jeune, douze ans au plus.

Je compris en écoutant les commentaires échangés par les médecins : « Elles sont déshydratées. »

Ces évanouissements survenaient en silence. Il y en eut un troisième, un quatrième et un cinquième. On installa les cinq jeunes filles dans l'ambulance. Cinq pierres tombèrent dans le lac de mon cœur, qui devait absorber cette douleur, comme l'eau les engloutirait. Une fraction de seconde : l'impact, l'eau qui s'ouvre, la pierre qui disparaît. Et ensuite la lente et inexorable propagation des ondes autour. Elles viennent se briser sur le rivage, prolongent le temps de la mémoire et, imperceptiblement, attaquent les digues du cœur.

Les jeunes filles des deux premières vedettes rejoignirent le quai pendant que le troisième bateau, en mer, attendait son tour. Elles étaient plus de deux cents, perdues et intimidées comme des enfants. Certaines virent les évanouissements, les autres non, elles ne réagissaient pas à ces chutes. Une bonne moitié étaient pieds nus, les autres en claquettes. Aucune ne sanglota, même si beaucoup retenaient leurs larmes. On leur fit signe de se diriger vers l'autocar. Leurs gestes étaient lents, leurs pas mesurés. Cela ne ressemblait à une procession que parce qu'elles étaient à bout de forces.

Les bénévoles leur offraient des barres chocolatées et du thé chaud. À chacune ils disaient : « *Welcome.* » Les filles remerciaient à mi-voix, « Merci », ou « *Thank you* », une petite inclinaison de la tête, une ébauche de sourire. Elles serraient le gobelet de thé à pleines mains, tout près de leur visage, pour se réchauffer. On distribua d'autres couvertures de survie. Paola circulait pour ramasser les emballages et les gobelets vides. Elle leur parlait : « *Where do you come from ?* », « D'où venez-vous ? », « *Welcome* », « Bienvenue ».

Et elle leur souriait, comme Alberto, comme les autres bénévoles.

J'étais surpris.

Paola s'en aperçut.

« Après ce qu'elles ont vécu, le minimum, c'est de les accueillir par un sourire, non ? *Amunì*, va me chercher un thermos et verse du thé. »

Celles qui présentaient des signes de gale entre les doigts étaient restées sous la tente médicale. Elles étaient deux, attendant le retour de l'ambulance.

L'unique autocar dut faire quatre voyages pour emmener ces jeunes filles au centre d'accueil. Elles s'appuyaient contre le muret en attendant. Certaines s'assirent par terre.

Et alors seulement je m'aperçus qu'il n'y avait pas de W.-C. chimiques sur le môle.

« Et s'il pleut ? demandai-je à Paola.

– On est tous mouillés, eux comme nous. »

Mon père était grimpé sur un rocher à côté de la grille métallique. Il avait installé son nouvel objectif.

OK, me dis-je, voilà une bonne raison pour ne pas pleurer.

Je ne pouvais pas pleurer devant mon père.

Plutôt mourir.

Je distribuais des barres chocolatées et du thé.

Quand toutes les filles eurent été transférées, le débarquement des hommes commença.

Les premiers descendus baisèrent le sol et entonnèrent un chant de remerciements, les bras levés, le front au ciel. D'autres chantaient à mi-voix. Quelques-uns esquissaient un rythme en frappant doucement dans leurs mains. Ils étaient environ trois cents, épuisés. Au mieux, en jogging et en sweat. Très peu de blousons chauds. Une douzaine en chaussures de sport ou sandales, d'autres en tongs, d'autres encore avec des chaussettes en éponge. La plupart étaient pieds nus.

« Ceux-là sont un peu plus gras, c'est pas comme ceux d'avant-hier », dit l'un des volontaires de la Croix-Rouge.

Silencieux et perdus, tous s'assirent contre le muret, pour s'abriter du soleil.

Les bénévoles distribuaient du thé, des barres chocolatées et des jus de fruits.

Et moi, je disais « *Welcome* » à tous ces jeunes qui débarquaient.

J'essayai de parler avec eux.

« *Where do you come from ?* »

« Niger », « Cameroun », « Syrie », « Érythrée », « Soudan », « Somalie », « Maroc », « Tunisie », « Népal ».

Le monde entier.

« Attends, comment ça Népal ? »

Ils étaient trois. Le seul visa qu'ils avaient pu obtenir, malgré la guerre, était un visa pour la Libye. Partis du Népal en bateau, ils étaient arrivés en Inde, où ils avaient pris un avion pour Tripoli. De là, après quelques semaines de prison, après avoir réglé aux passeurs la somme exigée, ils étaient montés à bord d'un grand canot pneumatique pour l'Europe.

Une traversée de la Méditerranée coûte en général plus de deux mille dollars par personne.

Le trafic des êtres humains est puissant et fructueux.

« *It's nice here* », constata le Népalais.

Il avait vingt, vingt-cinq ans, comme ses deux camarades.

« *Where are we now ?* » demanda-t-il.

J'expliquai que nous étions à Lampedusa, l'endroit le plus au sud de l'Europe.

« *We are in Sicily, right now. We are in Italy.* »

Le jeune homme eut une petite inclinaison de tête pour me remercier. Puis il redemanda : « *Are we in Europe ?*

– *Yes, we are. Welcome and good luck.* »

À côté, un petit groupe de jeunes était plus animé que les autres. C'étaient des Marocains, à peine majeurs. L'un d'eux, qui devait avoir vingt ans, demanda une cigarette en pur dialecte romain, à la stupéfaction générale.

« *Che ce l'hai 'na sigaretta ?* »

Tous ouvraient de grands yeux : les bénévoles, les forces de l'ordre, le personnel de la Croix-Rouge.

« Il parle romain ? »

À cet instant, j'aurais voulu que mon père soit près de moi, pour entendre ce dialecte et cette cadence, cette manière déformée et un peu tronquée qu'ont les Romains de construire les phrases.

Le jeune homme raconta que son père avait la nationalité italienne, comme son oncle. Sa famille avait émigré du Maroc quand il était tout petit. Il avait grandi dans la banlieue de Rome, où il avait vécu quatorze ans. C'était là qu'il avait appris à lire et écrire.

Ce garçon était romain en tout : son regard, sa façon de bouger, la légèreté mêlée d'ironie de ses phrases. Et culturellement : il s'exprimait et gesticulait en romain. C'était son langage, sa structure de pensée.

Alberto, le Romain à dreadlocks, lui demanda de quel quartier il était.

« Je suis de Tor Bella, et toi ?

– Prati, tu connais ?

– Bien sûr, j'ai été à une rave là-bas. »

Il s'y était même marié, à Rome. Encore mineur, il avait volé un portefeuille. On l'avait arrêté, et il n'avait pas vu son fils depuis deux ans. Sa peine de prison exécutée, on l'avait expulsé, renvoyé au Maroc.

« Et l'arabe, c'est quoi cette langue ? Moi j'ai toujours parlé italien, j'ai fait toute ma scolarité ici. Là-bas ils parlaient qu'arabe, et j'y comprenais rien. »

Il avait essayé de rentrer par les voies légales en demandant le regroupement familial.

« À l'ambassade on te répond pas, au consulat y a jamais personne. Le peu de fric que j'avais, il est passé à faire des demandes et à téléphoner. »

Les temps d'attente étaient interminables. Il avait travaillé comme maçon pour gagner de quoi payer le passage. Au bout de deux ans, il avait fini par rassembler la somme, et il était monté dans un bateau qui partait de Libye, avec les jeunes qui étaient là.

« *Vojo rivedè mi moje e mi fijo*[1]. »

Il fumait la cigarette tendue par un bénévole, apparemment soulagé d'être enfin sur la terre ferme.

« On était encore à quelques milles de la côte libyenne quand le canot a commencé à prendre l'eau. À la fin, ça nous montait jusqu'aux genoux. Heureusement qu'on nous a sauvés. On était mal partis. »

Il sourit, tira une bouffée, souffla la fumée devant lui.

Puis son expression changea brusquement et il haussa les épaules.

« Si on me renvoie, je me pendrai, et voilà. »

L'autocar revint pour un dernier transport, embarqua les jeunes et partit vers le centre d'accueil.

Le môle Favaloro s'était vidé.

Le nombre total de personnes débarquées se monta à cinq cent vingt-trois, *piccirìddi* compris.

« Aujourd'hui c'était tranquille. Cinq évanouissements, c'est rien.

– Tu veux dire que d'habitude c'est pire, Paola ?

– Ça dépend des conditions de la traversée, Davidù. Parfois ils s'évanouissent tous, ou presque, ils sont déshydratés, ils ne tiennent plus à la vie que par un fil. D'autres fois, il y en a plein qui vomissent sur la digue, mais seu-

1. « Je veux revoir ma femme et mon fils. »

lement des sucs gastriques, et on a besoin de bras pour les soutenir, de serpillières pour les nettoyer, le corps et le visage. Ça dépend. Ces derniers jours on a eu un climat splendide, la Méditerranée a été une mère pour eux.

– Mais tout ce que vous faites – le thé chaud, les barres de friandises, les petits animaux en tissu –, si vous n'étiez pas là, personne ne le ferait ? »

Paola se contenta de hausser les épaules et continua à ramasser les gobelets usagés et les emballages dans un sac-poubelle noir. De l'autre côté de la grille métallique, mon père fixait la mer, l'appareil à son cou et les mains dans ses poches.

Dans ses photographies, mon père privilégie les détails. Par exemple la rouille, ou l'angle d'une maison coupée en deux par l'ombre : d'un côté la lumière du soleil que filtre une fenêtre entrebâillée, de l'autre une obscurité pleine de mystère.

Une des séries de photos que j'aime le plus de lui, c'est celle des pinces à linge multicolores sur un fil, comme des danseuses avant le lever du rideau.

L'articulation des lignes et des espaces le fascine. Quand il observe un paysage, l'arête d'une maison, le visage d'une personne, il cherche les intersections.

Dans une maison écroulée flanquée d'un arbre austère et dépouillé mais toujours vivant, il s'intéresse d'abord à l'équilibre entre les objets, aux vides qui les entourent.

Il a un regard clinique. De là sans doute son attention au détail qui, à lui seul, crée un monde. Cela me rappelle sa passion pour le poète anglais T. S. Eliot, théoricien de la corrélation objective, chez qui l'objet se charge de sens et devient autre : symbole de douleur, de solitude, de grâce.

Sa manière de photographier a quelque chose de liturgique qui me fait penser à Cézanne. Peintre, il aurait représenté des natures mortes.

De toute sa vie il n'avait jamais pris l'avion. Mais depuis la retraite, il a dépassé cette peur. Dans le ferry pour Lampedusa, assis à côté de lui, je voulus instaurer un dialogue, et je lui demandai pourquoi il avait commencé à photographier. Je m'attendais à quelques mots, des phrases sèches, sujet, verbe, complément, sans adjectifs ni adverbes. Mais non.

« Mon intérêt pour la photographie remonte à un souvenir : mon père qui me met entre les mains son appareil photo. J'avais six ans. Je l'ai gardé, c'est un Voigtländer Vito C. Il fonctionne encore. Une dizaine d'années après la mort de mon père, j'étais avec ton frère Marco, j'ai dit : j'aimerais bien photographier ce détail. Marco avait un petit appareil compact dont il ne se servait plus, et il me l'a donné. »

Tout à coup, il n'était plus avec moi. Il avait plongé dans ses souvenirs, comme pour s'interroger lui-même, nommer les courants mystérieux qui créent ces ondes d'émotion, indépendantes de notre volonté.

Il parla de lui et de ses sentiments avec une décontraction dont je ne l'aurais pas cru capable.

« Photographier, pour moi, c'est comme continuer de parler avec mon père. »

Je compris soudain que mon grand-père et lui s'aimaient bien plus que leurs silences ne le laissaient supposer.

Les mots lui venaient aux lèvres, tranquilles, posés.

« Avec l'âge, on finit par se dire : "Il y a tellement de choses dont j'aurais aimé parler avec mon père." C'est pour ça que je continue à prendre des photos, à me promener avec lui. Parce qu'il faut être à pied pour photographier : sinon, tu ne vois pas grand-chose. Aller ici ou là, ne rien chercher de spécial. Les photos que tu veux faire, elles sont déjà en toi. Ce que tu cherches, tu peux le trouver aussi bien à cent mètres de chez toi qu'à Berlin, au monument pour les victimes de l'Holocauste. En marchant, je parle à mon père. »

Il posait les mots comme des touches de couleur sur une toile et je comprenais pour la première fois qui il était. À la fois mon géniteur, le fils de mon grand-père, et l'orphelin adulte à qui le deuil n'avait laissé d'autre relation à son père que le souvenir et le regret.

Voilà pourquoi il prend ces photos de détails, me suis-je dit, c'est pour les lui montrer. Et cela me touche : l'empressement de l'enfant à présenter sur sa paume l'objet qu'il a trouvé pour le montrer à son père, en échange d'une caresse, d'un mot affectueux, d'un regard qui protège, même après la mort.

Un amour viscéral qui traverse l'espace, traverse le temps.

Je franchis la grille métallique dont l'écriteau indique ZONE MILITAIRE, ACCÈS INTERDIT.

« Qu'est-ce que tu en penses, papa ?

– Du débarquement ?
– Oui.
– Honnêtement, c'était impressionnant. »
Nous marchions le long du port. Le sirocco s'était levé. Il accourait du Sahara, sans rencontrer d'obstacles, pour nous gifler de ses grains de sable.
« J'ai vu que tu avais monté ton objectif. Tu as pris des photos ?
– Non. »
Il marchait sur la bordure du quai, les doigts crochetés dans son dos. J'ignore si je reproduis ce geste à force de l'avoir vu faire, ou si c'est un mouvement spontané de mon corps, mais ma façon de marcher – l'ampleur du pas, les doigts noués dans le dos, la poitrine en avant – est la réplique exacte de la sienne.
« Pourquoi tu n'as rien photographié ?
– Robert Capa a raison, fit-il, de dire que la photographie, pour être bonne, doit parfois être prise au plus près de l'événement. Peut-être que j'étais trop loin ? »
Et cette façon de marcher était aussi celle de mon grand-père Rosario. Trois générations, une même démarche.
« Tu aurais voulu être plus près ?
– Oui mais c'est aussi une question de respect. Comment savoir si photographier cet instant n'est pas une violence que tu fais à un être humain ? Pour évaluer la situation, il faut être dedans. Il y a autre chose encore. Prends quelques exemples : "La mort du milicien" en 1936, ou cette petite fille brûlée au napalm pendant la guerre du Vietnam, ou l'enfant syrien mort sur une plage. Comment ne pas être bouleversé par l'émotion

que ces photos dégagent ? Après, tu te demandes : est-ce que j'ai appris quelque chose ? Et à quoi ça sert, puisque les mêmes horreurs ne cessent jamais de se reproduire ? La photographie te met face à une réalité : la petite fille nue qui crie et qui pleure, le milicien qui meurt, l'enfant syrien noyé – une des photos les plus terribles, on a eu raison de la prendre et de la publier. Et cette réalité est une douleur, immense, lancinante. Pourtant, malgré cette souffrance qui nous est donnée à voir, nous n'en comprenons pas plus. Qu'est-ce que ça a changé, au bout du compte ? »

Il fixait l'horizon où la mer, agitée par le vent, semblait un champ de bataille après un massacre. Puis il reprit sa réflexion : « Assister, même de loin, au débarquement, c'était intéressant… non, "intéressant", c'est trop limité. C'était une expérience très forte, mais vécue de l'extérieur, de l'autre côté de la grille. Physiquement, j'étais loin. À voir autant de personnes supporter autant de souffrance, tu peux juste dire : "Ils ont l'air tellement épuisés, ça devait être terrible !" Il faudrait chercher une situation de désespoir équivalente pour approcher un peu la compréhension de ce qui leur arrive, mais je ne sais pas s'il existe un équivalent à un tel désarroi. Je pense à ce que ton oncle Beppe traverse en ce moment, avec l'apparition de ce lymphome, alors qu'on s'était déjà battus contre un cancer il y a des années… je ne sais pas si j'arriverai à t'expliquer… ces situations où n'importe qui dirait "Qu'est-ce que je vais faire ?" sans recevoir de réponse. »

Il avait pris son frère comme point de comparaison.

Il avait nommé sa maladie.

Silencieux, nous regardions la mer. Le vent couvrait nos respirations. Les vedettes des gardes-côtes avaient joué leur rôle et disparu.

Paola, emmitouflée dans sa doudoune crème, discutait avec Alberto. Le jeune Romain à dreadlocks vint alors vers moi.

« Paola dit que tu cherches des informations sur ce qui se passe ici. Ça te dirait de rencontrer un plongeur ?

– Bien sûr. »

Il composa un numéro sur son portable, attendit, parla brièvement et raccrocha.

« Chez moi, à cinq heures cet après-midi. Juste vous deux, il ne veut pas que j'y sois. »

Je le remerciai et il m'expliqua où il habitait, avant que nous n'échangions nos numéros et nous disions au revoir.

Nous montâmes dans la voiture de Paola, qui passa à la poissonnerie. « T'as quoi aujourd'hui ? – Un thon fabuleux, *bello vivo* ! – *Amunì*, je prends », puis elle nous emmena au cabinet médical.

« Le docteur Bartolo, pendant toutes ces années, il en a fait des débarquements. Presque tous », dit-elle. En effet, je l'avais vu apparaître sur la digue.

Nous nous dirigeâmes vers son bureau.

« Ces tragédies, ça fait plus de vingt ans qu'on les voit. Pourquoi faut-il toujours attendre qu'il y ait des morts ? »

Il avait dit cela d'emblée, ses lunettes de vue sur le front. Je pensai à mon grand-père Rosario, qui les portait ainsi quand il s'escrimait sur les rébus de *La Settimana enigmastica*. Il collait ses yeux sur la page, les lunettes remontées, et ne les baissait que pour écrire une possible solution au crayon. Alors il éloignait de nouveau la feuille, relevait ses lunettes et regardait l'issue du duel.

Sa question lancée, Bartolo descendit lui aussi ses lunettes pour nous examiner. Nous étions son rébus. Il les releva ensuite et reprit :

« On sait ce qui se passe, mais on fait semblant de ne pas savoir. Si j'accepte de vous parler, c'est parce que si toutes les voix s'unissent, on peut sensibiliser les gens. Nous sommes des gouttes mais ces gouttes, toutes ensemble, font un océan. »

Il redescendit ses lunettes sur son nez et nous fixa de nouveau.

« Écrivez ce que vous avez vu, racontez-le partout, il le faut. Sur le continent, ils ne se rendent pas compte de ce qui arrive, je ne veux pas dire ce qui arrive à Lampedusa – cette île n'est pas leur but, c'est un lieu de transit, une étape de leur odyssée – ce que je veux dire, c'est ce que vivent vraiment tous ces pauvres gens qui arrivent ici, les atrocités qu'ils ont dû subir, le mépris de leur existence, l'humiliation de leurs rêves et de leurs espoirs. »

Le docteur Pietro Bartolo est gynécologue. Son travail, c'est de s'occuper de la vie, des naissances, des mères. Il est pourtant celui qui, en dehors d'une zone de guerre, a sans doute examiné et analysé le plus grand nombre de cadavres.

« Combien j'en ai examiné ? Beaucoup trop. »

Avec les femmes, c'est toujours un supplice.

« Même aux animaux on ne fait pas ce qu'on fait aux femmes », dit-il, sans rien pouvoir ajouter.

Pour une femme, c'est toujours pire.

Les viols sont constants, répétés, individuels ou en groupe.

Il y a des petites filles qui débarquent enceintes.

Il y a des jeunes femmes transformées en jouets, utilisées jusqu'à ce qu'elles soient cassées.

Puis le docteur parla du naufrage du 3 octobre 2013, l'événement qui a marqué le partage des eaux.

Ce fut le premier témoignage que j'entendis sur cette tragédie.

Bartolo raconta que, vu l'énorme quantité de cadavres repêchés en mer, il avait fallu utiliser le hangar de l'ancien aéroport pour y accueillir les morts.

Il y avait des sacs noirs partout.

Ce jour-là, il pria : « Mon Dieu, s'il te plaît, fais que dans le premier sac que je vais ouvrir il n'y ait pas un enfant. Je t'en supplie. »

Faisant appel à tout son courage, il avait pris une inspiration profonde et ouvert le sac.

« C'était un *picciriddo.* »

Bartolo revivait la douleur de ce passé terrible. Ses mains s'étaient posées d'instinct sur sa bouche, comme pour ne pas crier.

« Une petite chose comme ça. »

Il mesurait une fois de plus, là, dans son bureau, la taille de l'enfant. Plus pour lui-même que pour nous. Chaque fois qu'il y pensait, chaque fois qu'il en parlait, il revoyait ce *piccirriddo*. Ses mains s'étaient plaquées sur son bureau pour dire combien il était minuscule.

Pas plus de soixante-dix centimètres. Un enfant qui avait peut-être deux ans.

Il raconta qu'il avait pris la petite dépouille dans ses bras, espérant que c'était une erreur, que l'enfant était peut-être encore vivant, qu'il y aurait peut-être un très léger battement cardiaque, une veine qui pulsait, un souffle de vie à ses narines. Mais non. Il était mort. Cet enfant était mort pour de vrai.

Ce fut le premier cadavre de la tragédie du 3 octobre qu'il examina.

« Comment on peut laisser mourir une créature comme ça, *accussì nica*[1] ? On envoie des hommes sur la Lune, et on laisse mourir des gens *accussì*. On ne peut donc rien faire pour aller les chercher et les amener ici ? Ce sont des êtres humains, non ? Ça va durer encore combien de temps cette honte ? Comment on peut laisser mourir en mer une aussi petite créature ? »

Une légiste, appelée pour s'occuper de l'inspection et de la reconnaissance de quelques corps repêchés, m'avait parlé du monceau de feuilles à remplir avant de déclarer que tel être humain, avec tel et tel trait physique, avec ou sans tatouage, avec ou sans signe particulier, avec ou sans signe d'abus sexuel, était mort.

« Il faut être le plus précis possible dans les réponses sur la fiche, pour donner des informations claires sur la cause du décès aux autorités responsables. »

Hypothermie.

Dénutrition.

1. « Petite comme ça. »

Blessures par arme à feu.

Traces de contusions.

Le corps est un journal intime où se lisent les événements des derniers jours de la vie. La raideur de certains muscles dit l'extrême privation d'eau. La faible présence de chair dans la cage thoracique témoigne de l'absence de nourriture pendant de longues périodes. Les lésions sont les signes visibles d'une grande violence subie, dans les prisons libyennes comme sur le bateau. Pendant la traversée, certains sont tués à coups de bâton devant les autres pour que ceux-ci comprennent que protester, ou demander de l'eau est puni par la mort immédiate. Généralement, les corps sont jetés à la mer. Il arrive aussi que ceux qui osent se plaindre des conditions du voyage soient lancés vivants dans les vagues.

« Travailler sur des cadavres repêchés en mer est toujours difficile, me dit la légiste. Les corps sont gorgés d'eau et de sel, comme des éponges. Tout est déformé : le visage, les muscles, les organes. La peau se détache, ou bien a disparu, et on y voit parfois les marques de dents des poissons. Tout est lisse et gélatineux. Au toucher, ça ressemble à peine à un être humain. »

Ce qui l'avait bouleversée plus que tout, c'était deux dépouilles qu'elle avait examinées.

« Deux filles de moins de vingt ans, comme l'examen approfondi a permis de le constater. Vraiment très jeunes. Elles portaient tout en double : deux sweat-shirts, deux chemises, deux jeans, deux petites culottes, tout superposé. Comme si elles avaient enfilé tous les vêtements qu'elles avaient, une tenue plus une de rechange. Pour se protéger du froid, évidemment, et aussi pour garder sur elles tout ce qu'elles possédaient. Dans une poche intérieure, elles avaient cousu des feuilles avec des adresses. C'était leur trésor, les contacts à appeler en Europe. Elles étaient parties dans l'espoir d'une vie plus digne, avec ces doubles épaisseurs pour protéger leurs souvenirs. Nous les avons déshabillées, nous avons commencé l'examen. »

Elles étaient mortes d'hypothermie pendant la traversée.

Et présentaient toutes les deux des signes de violences sexuelles répétées.

En sortant du cabinet médical, nous avions trouvé le soleil, plus besoin de blouson. La voiture sentait bon le thon que Paola venait d'acheter.

Paola raconta :

« On est des étrangers à Lampedusa, Melo et moi. C'est plus facile de communiquer avec d'autres étrangers qu'avec les gens d'ici. Les gens d'ici sont méfiants. Pour eux, si tu n'es pas de Lampedusa, tu ne comprendras jamais rien ni à l'île ni à la vie. C'est plus facile de parler, de créer des liens avec ceux qui sont comme nous : qui vivent ici, mais viennent d'ailleurs. On est très vite devenus amis avec des jeunes du centre d'accueil, ceux qui travaillent pour la Croix-Rouge, l'UNHCR ou Save the Children. On s'est rencontrés par hasard, je ne sais même plus comment. Dans ce groupe, j'ai aussi un ami radiologue. »

Paola conduisait avec douceur, sans se presser. Elle voulait que ce souvenir entre dans le temps de ce voyage, reste dans la voiture, pour ne pas l'emporter chez elle.

Un silence presque total s'était installé, la voiture roulait et le goudron crissait sous les pneus comme du gravier.

Soudain mon père intervint :

« S'il est radiologue, c'est lui qui identifie les majeurs ? »

Paola acquiesça en silence.

Comme je ne comprenais pas, mon père m'expliqua que la longueur des os permet d'établir l'âge d'une personne, tout autant que la présence ou non de poils pubiens.

« Oui, il faisait ça, entre autres choses, confirma Paola. Les majeurs prennent une filière, les mineurs une autre. » Après ce commentaire, elle se gara moteur allumé devant la boulangerie pour prendre sa commande, avant de reprendre le volant.

« On dînait souvent ensemble, avec ceux qui n'étaient pas du coin. Ce qu'ils nous ont raconté a été fondamental. C'est grâce à eux que j'ai pris conscience de ce qui se passait. Je me rappelle en particulier qu'ils décrivaient l'état des femmes qui débarquaient. Une amie gynéco m'a avoué qu'elle a examiné un jour une femme infibulée, et que ça l'a puissamment choquée. Elle avait étudié l'infibulation mais elle n'en avait jamais vu. Ça l'a complètement secouée, et pourtant elle avait plus de trente ans de métier. Tout ce qu'ils ont raconté est resté gravé en moi. Les violences que les femmes avaient subies en Libye. La quantité inimaginable de viols. Le fait qu'elles arrivent souvent enceintes – dès qu'elles le sont, elles deviennent inutilisables. La raison aussi des brûlures, dont sont victimes surtout les femmes : elles n'ont pas le droit de s'asseoir sur les boudins pneumatiques des canots, on les met au milieu. Pendant la traversée, il se forme au fond du canot un mélange très corrosif d'eau de mer, d'essence et d'urine. Elles arrivent avec des brûlures graves, parfois très graves, généralement dans les parties les plus délicates. La majorité de celles qui débarquent présentent des brûlures de l'appareil génital. Elles sont toutes très jeunes. On les informe sur l'avortement, mais aucune, je dis bien aucune, ne choisit cette solution. »

Paola se gara devant la maison. Derrière le pare-brise, la mer, fouettée par le sirocco, était bleue et transparente. S'il avait fait plus chaud nous aurions plongé, mon père et moi, et nagé à lentes brasses régulières jusqu'au fond de la baie. La mer comme étreinte, l'immersion comme baptême, la nage comme libération du poids de la journée.

Mon père alla se reposer.

« Je ferai un tour en ville cet après-midi. Je prendrai peut-être quelques photos.

– Tu ne veux pas déjeuner ?

– Je n'ai pas très faim.

– Moi non plus. Au plus tard, on se voit au dîner. »

J'allai me promener dans Lampedusa. Tout était désert. Une ville fantôme. Comme dans un western. Dans la rue principale, des chiens errants, couchés, à moitié endormis.

Je téléphonai à Silvia, ce vide devenait inquiétant, et ma compagne était la seule qui pouvait me permettre de le mettre à distance.

« Allô.

– Chéri, comment tu vas ?

– Tu sais, ici en ville rien ne transparaît de ce qui se passe en mer. Ça se passe uniquement sur la jetée, puis dans le centre d'accueil. Le reste, c'est pratiquement désert. Les seuls qui semblent là sont en uniforme.

– Oui, mais toi, comment tu vas ? » répéta Silvia.

Les volets étaient fermés, aucune activité visible, le sirocco régnait en maître.

Mais Silvia voulait que je lui parle de mon paysage intérieur.

« Je me sens vidé. »

Je l'entendis respirer et sourire à l'autre bout du fil.

« Ne t'identifie pas au décor, tu n'es pas un désert, tu es quelqu'un qui traverse un lieu désert. »

Elle m'avait fait franchir le vide.

« Comment vont les chats ? » dis-je alors.

Elle se mit à rire.

« Enfin une question sensée. Ils vont bien, Pepa fait toujours sa princesse et Soba passe de la douceur à la folie. Et toi ?

– Mieux déjà, puisque je t'entends.

– Bon, reste dans cet état d'esprit. Et avec ton père ?

– Bien, pour le moment il se repose. Je vais bientôt rencontrer des gens.

– Bon travail, alors. »

J'avais parcouru la voie piétonne dans un sens puis dans l'autre, la mer comme ligne d'horizon. J'appelai l'oncle Beppe.

« Beppuzzo, comment ça va ?

– Daviduzzo ! Je suis un peu fatigué aujourd'hui,

mais hier j'ai soulevé de la fonte. Qu'elle aille se faire foutre, la tumeur. C'est comment à Lampedusa ?

– Du plomb et de la plume en même temps.

– Presse-toi de finir ton livre, j'ai hâte de le lire. Francesco est avec toi ?

– Non, pas en ce moment. Tu le connais, il est resté au B&B, et moi je me promène tout seul. À propos, s'il t'appelait maintenant, ça ferait un à zéro pour toi, oncle Beppe.

– J'aimerais bien.

– Qu'est-ce que tu fais ? Tu lis ?

– Non non, je m'en vais *stinnicchiàre n'antìcchia*[1]. On se reparle plus tard ?

– Bien sûr, repose-toi bien. Je t'appelle ce soir avant le dîner, je t'embrasse. »

En ville on n'entendait que le souffle du vent. Qui gonflait puis retombait comme pour faire croire qu'il s'arrêtait, avant de revenir marteler les maisons et les rochers.

Je fis défiler mes contacts. Il y avait le numéro d'Alberto, le volontaire romain, que je n'avais pas encore appelé. Il restait une heure avant mon rendez-vous avec le plongeur, mais je me sentais terriblement seul.

Il répondit aussitôt.

« J'allais acheter du poisson. Ça te dirait de venir ? Je passe te prendre en voiture. »

Alberto, moins de trente ans, un accent romain peu marqué, était depuis plusieurs mois dans l'île. Ses longues dreadlocks lui descendaient sous les omoplates.

1. « M'étendre un moment. »

« Ça ne t'a jamais posé de problème ici, ta coiffure ?

– En ville, non. Sur la digue, une fois. Mais je préfère me souvenir du moment super que mes dreads m'ont permis de vivre. »

Un jeune Sénégalais avait débarqué, lui aussi avec des dreadlocks. En voyant Alberto lui tendre un thé chaud, il l'avait serré dans ses bras en l'appelant « *Brother* ». Ils avaient parlé de reggae, et des passages à tabac qu'il avait subis en Libye avant de pouvoir s'embarquer.

Alberto s'arrêtait à chaque carrefour, même quand nous avions la priorité : précaution utile dans un pays où les règles du code de la route ont seulement valeur de suggestion.

« Et la fois où ça t'a posé problème, c'était quand ?

– Un nouveau chef de la police venait d'arriver. Les jeunes passent sous leur responsabilité, aussitôt qu'ils sont sur la terre ferme. Il n'arrêtait pas de nous embêter, nous les volontaires, mais pas seulement. Pendant quelques semaines, il nous a même interdit l'accès à la jetée. Il me traitait de saleté de vermine.

– Et ensuite ?

– Sa mission terminée, on l'a envoyé ailleurs. »

Il se gara devant la poissonnerie.

« Il y a un poisson qu'on ne trouve qu'ici, le poisson bleu. Un poisson des profondeurs, fabuleux. Grillé, c'est un régal », dit-il, les yeux rieurs.

Le commerçant éviscérait les poissons, sur l'étal les rougets étaient magnifiques. Je demandai à Alberto comment il s'était retrouvé à Lampedusa.

Après des études d'anthropologie à Rome, puis de gestion et planification des services sociaux à Londres, il avait fait une expérience de six mois à Turin pour le compte des Nations-Unies. Là, il avait reçu une proposition pour aller sur le terrain, et il était venu à Lampedusa.

Le poisson était prêt. Alberto paya. Nous étions remontés en voiture.

« On est très en avance », dit-il. Trois quarts d'heure encore avant mon rendez-vous.

Il redémarra.

« C'était ton premier débarquement, aujourd'hui ?

– Oui.

– Pour ton père aussi, j'imagine ?

– Oui.

– Et alors ?

– C'était... je ne sais pas quel adjectif utiliser : poignant ? impressionnant ? très fort ? Les trois à la fois, en fait.

– Pareil pour moi. Le mien, c'était hallucinant. J'en avais les mains moites. J'étais hypertendu : c'était fou de les voir arriver ici, quand tu penses qu'il y a deux cent quarante kilomètres entre la Libye et Lampedusa ! Qu'ils aient pu faire un voyage pareil ballottés sur un canot pneumatique, ça dépassait l'entendement ! Avec très peu d'eau, pas beaucoup de nourriture et des enfants à bord, et après des mois et des mois passés dans les camps en Libye. En se demandant toujours s'ils n'allaient pas couler, tu te rends compte ? Tout ça amplifié par le fait que je touchais pour la première fois du doigt cette réalité-là. Ça m'a complètement bouleversé. »

Il parlait sans quitter la route des yeux, roulant tout doucement.

« C'était la nuit. Je me souviens des éclairs jaunes des couvertures de survie et c'était beau, comme des étoiles qui auraient jailli du noir de la mer. Ce qui m'a frappé aussi, c'est le naturel de ceux qui étaient là pour les accueillir. Je me disais : "Comment ils peuvent se permettre de faire des plaisanteries ?" On était face à l'inconnu, on ne savait pas qui seraient les arrivants, s'il y avait des morts, ce qui allait se passer. La jetée pour moi c'était un endroit... je ne dirais pas sacré, mais où il fallait au moins se comporter avec respect. Sauf que le cerveau ne marche pas comme ça : il doit s'inventer une normalité, sinon il devient fou. Si je pensais constamment à ce qu'ils ont vécu, à la brutalité des lignes de frontière, ce serait impossible de tenir, ce serait trop terrible. Et puis on s'habitue. Combien j'en ai vu, de débarquements ? Deux cents ? Si quelque chose se reproduit deux cents fois, tôt ou tard tu finis par t'habituer. Et ça te permet de te comporter de manière professionnelle quand ils arrivent, de prouver qu'on est des gens responsables. C'est toujours un moment délicat quand on est sur la jetée. Certaines autorités, comme je te l'ai dit, aimeraient bien nous déloger. »

Il se gara, coupa le moteur, ôta la clé du contact mais resta assis. Un garçon tranquille dans tous ses gestes : remonter la vitre, enclencher une vitesse, passer la marche arrière, sourire.

« Cela dit, généralement, sur la jetée, il n'y a pas de situations tragiques. À part trois, quatre, cinq fois qui ont été vraiment dramatiques. En général, c'est plutôt la fête.

– La fête ?

– J'ai vu des gens se mettre à danser et embrasser la jetée, d'autres faire la prière musulmane, le front collé au sol. Ou taper dans leurs mains et marquer le rythme avec les pieds. J'ai des souvenirs magnifiques. Souvent, quand ils arrivent au port sur la vedette des gardes-côtes, ils chantent et ils applaudissent. C'est incroyable de voir la vedette qui jaillit de l'obscurité. J'exagère peut-être mais je crois que l'arrivée dans le port, pour eux, c'est un des moments les plus heureux de leur vie. Ce qui les attend ensuite, ça sera différent. Mais là, après tout ce qu'ils ont vécu, après la traversée, voilà qu'ils touchent enfin la terre ferme. C'est une nouvelle naissance, pleine d'espoir et de joie. Et toi, tu es la première personne à les accueillir. Ils ont vécu des situations abominables, ils méritent qu'on les reçoive dignement. C'est un privilège pour moi d'être là, d'honorer leur voyage, leur courage, leur inconscience aussi, et de prendre part un instant à leur parcours. »

Alberto attendait encore, sans descendre.

Un frisson me parcourut l'échine, une intuition tout à coup : est-ce que c'était un « moment-poulpe » ?

J'étais au bord de la mer, à Scopello, avec mon oncle Beppe, j'avais six ou sept ans et je m'étais mis en tête d'apprendre à pêcher le poulpe. Mon père travaillait à l'hôpital, ma mère était en congé mais occupée à la maison avec mon petit frère. Et la pêche au poulpe était bien le dernier de ses soucis. Ce fut mon oncle Beppe qui s'y colla.

« *Amunì*, j'emmène Daviduzzo à la mer.
– À la pêche au poulpe, oncle Beppe.
– Oui oui. »

J'avais à la main un bambou taillé en pointe, l'eau m'arrivait à la poitrine. L'oncle Beppe était à côté de moi. Avec la bienveillance qui l'a toujours caractérisé, il m'expliquait comment chasser le poulpe. Il était nerveux, mais il essayait de ne pas le montrer et parlait à mi-voix.

« Pour faire sortir le poulpe, tu dois rester immobile, avec ton bambou prêt à frapper. Ne bouge pas. Le poulpe viendra à toi. Si tu forces les choses, il s'échappera et tu ne le prendras plus. »

J'ignore d'où lui venait ce savoir. Il avait peut-être un passé de chasseur de poulpe qu'il révélait pour la première fois. Nous restâmes immobiles un temps interminable. Quand les muscles de mon bras commencèrent à trembler et que j'eus envie de jeter le bambou et de nager jusqu'au rivage, quand l'ennui m'eut gagné tout entier et que j'allais renoncer à toute velléité de chasse, le poulpe apparut. C'était une simple tache en mouvement. Il nageait avec lenteur. Ses tentacules se rassemblaient contre son corps avec une indolence désordonnée. Il y avait nous, la mer et le poulpe. Comme prévu, il vint exactement devant moi. L'oncle Beppe se mordait la lèvre et ne respirait plus. Son immobilité transmettait son malaise. Mais j'étais concentré sur mon avenir de grand chasseur de poulpes. Ce serait l'aventure de l'été. J'affirmai ma prise sur le bambou, pris une grande inspiration. Au moment de frapper, mon bras refusa de bouger. Je restai là, planté, le bambou à la main, les yeux fixés sur le poulpe qui, innocemment, nageait vers le large.

Oncle Beppe poussa un soupir de soulagement.

« Il était petit, celui-là, dis-je, comme pour me disculper.

– Tu as bien fait, et même très bien fait de ne pas le prendre », répliqua l'oncle Beppe.

Détendu, il souriait.

Nous sortîmes de l'eau.

« Mon oncle, comment ça se fait que tu saches attraper les poulpes ?

– On me l'a appris », répondit-il en se passant la main dans ses cheveux déjà rares.

Et il commença à sécher les miens avec le drap de bain.

« Qui te l'a appris ?

– Ton père. »

Une fois séchés, nous rentrâmes.

Un moment-poulpe, c'est quand une histoire, si elle le veut, vient à ta rencontre, sans que tu aies besoin de te jeter sur elle et de la capturer. Il faut rester près d'elle, ça oui, respecter ses rythmes et être prêt de toute son âme à l'accueillir. C'est tout.

Alberto avait cessé de serrer le volant. Les épaules contre le dossier, il relâchait les bras, baissait les paupières, se massait le cou. Après une longue inspiration, il rouvrit les yeux, prêt à parler.

« Je me souviens encore aujourd'hui avec angoisse d'un débarquement de nuit, à la fin du mois d'août. On était allés comme d'habitude à la jetée, plutôt tranquillement. On plaisantait et on riait. Sur les deux cent vingt qui ont débarqué, les premiers à descendre étaient en bonne condition physique. Les autres non. On n'aurait jamais pu imaginer ce qui allait se passer. L'Apocalypse. Comme si un avion s'était écrasé et que nous étions les premiers sauveteurs. Tous les autres, deux cents personnes environ encore dans la vedette, n'étaient même pas en état de marcher. Ils pleuraient. Ils avaient des brûlures et des cloques partout. Les premiers ont été mis sur des civières et transportés en ambulance. Mais très vite, dans une île où il n'y a que trois ambulances, et pas plus de quatre ou cinq civières, il restait cent quatre-vingts personnes qui nécessitaient des soins. Et chacune à sa façon avait des problèmes plus ou moins graves. Ceux qui n'arrêtaient pas de pleurer étaient les moins urgents – je me les rappelle encore –, ils criaient : “J'ai perdu mon frère”, “J'ai perdu ma femme”, “J'ai perdu mon ami”. Ils avaient vu leur bateau couler à côté du leur. »

Les phrases d'Alberto s'étiraient. Quand il ne parlait pas, ses mains montaient couvrir son visage comme pour retenir dans sa mémoire un visage fugace, des épaules, une main.

« Devant moi j'avais une femme qui pleurait. Elle criait : “J'ai perdu mon fils, j'ai perdu mon fils dans l'eau.” Et c'était à moi qu'elle le disait. À moi qui étais là, devant elle. Qu'est-ce que j'aurais pu lui dire ? Comment j'aurais pu l'aider ? Je n'ai pas réussi à lui parler, je n'ai rien fait du tout. »

Le silence avait pénétré ses paroles, il avait pris toute la place.

« Certains d'entre nous ont fondu en larmes. C'était la débâcle totale. Il y avait tellement de blessés qu'en plus de ceux qui étaient chargés des opérations, tout le monde a dû participer. On prenait les gens et on les couchait directement sur le quai. Une fille s'est évanouie dans mes bras. Oui, tiens, les évanouissements. Ça arrivait tout le temps. Et les brûlés, ils l'étaient tous gravement. »

Il plongea ses doigts dans sa blague à tabac, se roula une cigarette et l'y replaça.

« Après le débarquement, je suis allé nager à Cala Pisana. En rentrant chez moi, je me sentais mieux. La mer, souvent, m'aide à chasser l'angoisse. L'eau ça purifie. Dit comme ça, c'est un peu grandiloquent mais c'est vrai que ça marche. C'était l'aube. Il n'y avait personne. »

Depuis quelques minutes, Alberto se mordait l'intérieur des joues pendant les pauses. Ses dents, cette fois, ne lâchaient pas prise. On était encore dans le moment-poulpe.

« Encore un souvenir. Une semaine après ce terrible débarquement, il y a eu vingt-cinq, trente morts en mer. Sur la jetée, pourtant, tout a été incroyablement tranquille. Ceux qui touchaient la terre ferme n'étaient pas agités, ni blessés, ni en état de choc. Ils étaient contents. On a débarqué aussi un jeune homme mort, qu'on a étendu sur la jetée au début des opérations – il a même été le premier à être transporté à terre. Mais personne n'avait eu l'idée de le recouvrir d'un drap. C'est toujours comme ça dans les films : quelqu'un est mort, on le recouvre avec un drap. Nous, on ne pouvait pas intervenir, et honnêtement ce n'est pas un geste que j'ai envie de faire. Ça ne prend qu'un instant de poser un drap sur un mort, pourquoi je devrais le faire, quand il y a des personnes qui en sont chargées ? Aujourd'hui, ce jeune-là est enterré au cimetière. Il s'appelle Yassin, mais il n'y a pas d'autre nom sur sa tombe. Si nous n'avions pas été là pour recueillir des informations sur lui pendant le débarquement, nous n'aurions jamais appris son prénom ni son histoire. Yassin avait une femme et une fille en Suède, qui y résidaient légalement, il pouvait donc demander le regroupement familial, mais il est mort en mer. Ça encore, c'est une chose qu'il faudrait faire : si c'étaient de vraies missions humanitaires, quand il y a des morts, on devrait recueillir des informations auprès des survivants, au moins pour connaître le nom de celui qui est décédé. Mais non. En revanche, on lance aussitôt une enquête pour identifier le passeur, savoir d'où ils sont partis. On veut espionner les filières, mais la dimension humanitaire, on s'en fiche. Si bien qu'il n'y a rien sur la tombe de ce garçon, une petite couche de ciment et voilà. »

Il rouvrit sa blague à tabac, prit la cigarette qu'il avait roulée et la plaça entre ses lèvres.

« C'est l'heure. Entrons. »

La maison d'Alberto était spartiate, comme celles des lieux de villégiature : au milieu de la pièce, une table avec quatre chaises de paille, au mur deux étagères avec des livres, une antique télévision sans télécommande posée sur un petit meuble blanc, un petit frigo, quelques couverts dans l'égouttoir.

On frappa.

Alberto alla ouvrir.

Le plongeur entra dans la pièce. « Aucun enregistrement », dit-il d'emblée.

Il était gigantesque.

*

J'étais à côté de la Testa di Polpo.

Mon père m'y avait rejoint.

Le coucher de soleil était proche.

« Comment ça s'est passé, ta rencontre avec le plongeur ? »

Les yeux bleus de mon père étaient posés sur moi, immobiles, tranquilles et apaisants.

J'aurais voulu lui répondre : ça m'a complètement bouleversé, papa, à cause de tout ce que ça signifie sur la vie et sur la mort, de tous ces dilemmes effrayants qui se posent à eux, de la profondeur du stress post-traumatique que j'ai sentie en lui. Parler avec un acteur direct, ça chamboule tout : l'ordre des choses, les idées toutes faites, la pensée elle-même. Ne serait-ce que parce que je n'avais pas idée de la réalité de ce qui se passe.

J'aurais pu continuer : les définitions ne servent à rien, elles ne rendent pas compte de la complexité d'un événement ou d'un être humain. Au bout du compte, tout se réduit peut-être à un choix : si quelqu'un se noie dans une tempête, est-ce que je serai celui qui plonge, même au risque de sa vie, ou celui qui, terrorisé par la mort, reste agrippé à la terre ferme ?

C'était tout cela que j'aurais voulu lui dire.

À mon père, là debout devant moi, prêt à accueillir mes commentaires, mes épanchements.

Ses yeux bleus n'exprimaient aucun jugement.

Je baissai les miens.

« Bien, papa, ça s'est bien passé. »

Si nous ne nous étions pas parlé pendant si longtemps, ce n'était pas seulement sa faute.

Un dialogue se construit à deux.

J'avais été absent de la construction, moi aussi.

Absent à mon père.

« Et toi, tu as fait quoi cet après-midi ? » demandai-je pour sortir de ce silence entre nous, qui m'était soudain insoutenable.

Il commença par me décrire le trajet qu'il avait parcouru de Cala Pisana jusqu'au Porto Vecchio, en passant par la ville de Lampedusa.

« C'est plein de chiens errants, remarqua-t-il. Je les ai photographiés. »

Et pour conclure le fil de sa pensée : « J'ai toujours voulu avoir un chien. »

Il prit son appareil photo et approcha l'écran de moi. Ce n'étaient que des photos de chiens. Couchés sous un banc de marbre, seules formes de vie dans l'automne d'une petite ville fantomatique. Ils avaient les yeux fermés, le corps à l'abandon sur le sol. Beaucoup de profondeur dans ses clichés, la mer au fond comme perspective omniprésente. Et soudain, une des photos que j'attendais. Le détail d'un œil de chien. Il s'était approché du chien pour capturer sa pupille ouverte. Au centre on le voyait lui, à genoux, l'appareil photo devant le visage, à l'instant même de la prise. Dans la photo suivante, la pupille du chien regardait vers le coin en bas, où on voyait le bras de mon père. Il caressait le chien, provoquant chez celui-ci une réaction de surprise mêlée de reconnaissance.

« Papa, t'en n'as pas eu assez de photographier des chiens ?

– Non, ils étaient gentils. »

J'avais envie de poser la tête contre sa poitrine, mais je ne le fis pas.

Il me fit voir les photos suivantes : des détails de murs abîmés, des touffes de mauvaises herbes poussées sur le trottoir, la rouille triomphante sur le squelette d'une bicyclette qui fanait au soleil depuis trop d'étés.

Et puis, à brûle-pourpoint, une autre série de photographies.

Incroyable.

Au milieu de ces photos, il y avait moi. C'était moi pris de dos. Moi qui me baladais dans la via Roma, parlant au téléphone avec Silvia et avec l'oncle Beppe, notant quelques idées, la tête entre les mains.

Mon père m'avait photographié sans m'avertir.

Je ne m'étais aperçu de rien.

Il en avait toujours été ainsi. D'une manière ou d'une autre, il n'avait pas cessé de me regarder de dos. Comme lorsque j'avais appris à faire du vélo, moi qui pédalais dans les rues de Palerme et lui qui me suivait en voiture, une cinquantaine de mètres derrière. C'est un de mes plus heureux souvenirs d'enfance. Nous trois : mon père, notre chère Palerme, et moi.

C'était ça, pour toi, être père ? Me suivre en silence quand je marche dans les ruines et les buissons d'épines, sans me perdre de vue ?

Si je ne m'étais jamais aperçu de sa présence, c'est que je donnais plus d'importance à ce qui manquait, les paroles, au lieu de comprendre la valeur de ce qui avait toujours été là, son regard.

S'il n'était pas intervenu, c'est parce qu'à un moment donné je lui avais interdit de m'aider.

« Papa, pourquoi tu es devenu médecin ? » lui demandai-je, fixant de nouveau ses yeux bleus, dans une tentative de dialogue que je jugeai aussitôt pathétique.

Nous construisons parfois des murs sans même nous en rendre compte.

La journée avait été longue. Mon père pourtant se mit à rougir et à sourire en même temps.

« Pourquoi je suis devenu médecin ? »

Il était tout rouge, mais continuait à me fixer.

« Oui. »

Entre le bleu de l'iris et le rouge de ses joues, il avait vraiment l'air d'un gamin.

« Pour échapper à ce que j'aurais vraiment voulu : être écrivain. »

Le sourire était toujours sur son visage, comme une libération.

L'eau continuait de se briser sur les rochers, Cala Pisana

d'être envahie par le coucher de soleil, Paola venait de se mettre à la fenêtre pour nous dire que le dîner était prêt, mon père s'était déjà retourné, et moi je restais là, dans le tourbillon du sirocco, sans défense, frappé au cœur, transpercé par la tombée de la nuit.

J'appelais souvent mon oncle Beppe pour lui parler de choses qui m'avaient frappé.

C'était facile de parler avec lui.

« Tu vois l'archipel des îles Pélagiques ? Il est formé de trois îles.

– Lampedusa, Linosa et…

– Lampione, un îlot inhabité. Le nom de l'archipel vient directement du grec πέλαγος, Pélagos, c'est-à-dire littéralement "la mer toujours en mouvement dont les flots tourmentent inlassablement les rivages". Savais-tu que ce minuscule archipel représente le point de rencontre entre deux continents, l'Afrique et l'Europe ?

– Non.

– Moi non plus. »

J'avais étudié un peu la géologie de Lampedusa et j'y avais appris des choses qui m'avaient intrigué. J'égrenais peu à peu les informations que j'avais notées, en essayant de bâtir un crescendo.

« Linosa, c'est l'Europe, elle a des origines volcaniques, d'ailleurs elle est pleine de cratères. Lampedusa, par contre, n'a pas d'origine volcanique parce qu'elle fait partie de la plaque tectonique africaine.

– L'Afrique ? » demanda mon oncle, sincèrement stupéfait.

Il en était tout aussi étonné que moi.

Nous étions bien l'oncle et le neveu.

« Oui. Sur le plan géologique, c'est un relief de la plaque tectonique africaine.

– Un haut plateau émergé, commenta mon oncle. C'est magnifique, ajouta-t-il. L'île la plus au sud de l'Europe et le continent africain ne sont qu'une seule et même terre. »

Une bataille navale culturelle.

Nos certitudes coulaient.

« Si on s'en tient au modèle de la tectonique des plaques, c'est comme si la Terre était faite de plusieurs pièces d'un même puzzle. Chacune des pièces représente un morceau de la plaque tectonique. Ces pièces sont disposées les unes à côté des autres et elles bougent, elles s'éloignent, se rapprochent, se heurtent.

– Comme si la Terre était vivante, dit Beppe.

– Exactement. En plus, j'ai vu une carte bathymétrique de la Méditerranée, avec la mesure des profondeurs de la mer. Dans la partie qui sépare Lampedusa de l'Afrique, la profondeur est faible, trente mètres au plus, parfois cinquante. Au contraire, au nord de l'île, en allant vers l'Europe, le fond tombe d'un coup, il descend tout de suite à quatre cents mètres, quelquefois mille ou plus. Il y a pratiquement un gouffre entre les deux continents, mais qui disparaît peu à peu, parce que, comme tu sais, un rapprochement inévitable est en train de se produire : l'Afrique et l'Eurasie sont dans un régime de compression. Les deux continents sont en train de se diriger l'un vers l'autre. »

Les préjugés, les *a priori* tombaient.

J'entendais à l'autre bout du fil la respiration de mon oncle se faire plus lourde.

« Quand deux plaques entrent en friction, l'une passe sous l'autre et s'enfonce de plus en plus dans le manteau terrestre. Et devine laquelle s'enfonce ? La plaque euro-asiatique. L'Eurasie se retrouvera, fatalement, sous l'Afrique. »

Mon oncle émit un bruit à mi-chemin entre la prise de conscience et le sourire. Un tel déplacement va durer des millions d'années. Des ères entières pour marquer une séparation, des ères entières pour la recoudre. Le temps de notre planète n'est pas limité comme le nôtre. L'inévitable s'étend sur l'infiniment long.

« Voilà, je voulais partager ça avec toi.

– Pourquoi ?

– Parce que ce qui se passe aujourd'hui en Méditerranée peut être interprété comme une simple anticipation du futur : ce qui a été séparé est en train de se réunir. Le mouvement, le déplacement, la migration font partie de la vie même de la planète. Les oiseaux migrent, les poissons aussi, les mers se déplacent comme les troupeaux et les continents. Ça arrivera. Ça arrive déjà. L'Afrique viendra s'étendre sur l'Europe et sur ce qui en restera.

– Comme un drap.

– Ou comme un suaire », dis-je pour conclure.

Nous nous dîmes au revoir.

« Daviduzzo, ajouta-t-il, je suis vraiment fatigué, excuse-moi. »

Je n'imaginais pas que parler au téléphone puisse à ce point le fatiguer.

« Ne t'en fais pas. Et repose-toi bien. »

Était-ce l'effet de la chimio ?

Quand il eut raccroché, je restai quelques instants ahuri, le téléphone à la main. Quelque chose n'allait pas. Et je compris soudain qu'il ne voulait pas tant savoir pourquoi j'avais été si frappé par cette histoire de choc intercontinental, que la raison pour laquelle j'avais précisément senti le besoin de partager ces informations avec lui.

Je restai assis encore un peu, me demandant si l'oncle Beppe aurait posé la même question à mon père.

*

Le nom de Lampedusa, j'étais *picciriddo* quand je l'ai entendu pour la première fois. Ma mère y avait été envoyée quelques mois par l'hôpital pour travailler avec des enfants présentant de graves difficultés d'apprentissage. Chaque fois qu'elle partait, mon père nous emmenait, mon frère et moi – en ce temps-là, nous n'étions pas encore quatre – déjeuner et dîner au restaurant d'en face, et nous passions tous les après-midi au cinéma à regarder des films de science-fiction. C'est à cette époque que j'ai développé l'idée de « l'île d'une île ». Nous étions la Sicile, et Lampedusa, tout en gardant sa particularité insulaire, cette solitude qu'implique le fait d'être entouré par la mer, en était un fragment, un satellite éloigné qui gravite dans l'orbite de la maison mère, comme les îles Éoliennes, les Égades, les récifs de Scopello. L'île d'une île. Ma mère me l'avait confirmé : à Lampedusa on parlait la même langue que nous, on mangeait la même chose que nous, on utilisait les mêmes gros mots. À son retour, elle ne cessait de vanter l'âpre beauté de ses paysages.

« Tu pourrais toujours chercher, tu n'y trouverais pas un arbre, tout est aride, aride. »

Elle s'attardait souvent sur la description de la mer.

Une mer bouleversante.

Sur ses phrases planait l'idée platonicienne de la transparence.

Plus de trente ans après, quand Lampedusa fut devenue un symbole de la mondialisation, un moment de cette période lui revint en mémoire.

« Un de ces gamins, en particulier, m'avait frappée. Il avait un regard très vif, et il était absolument rétif à l'apprentissage. Figé devant la feuille et le crayon, il répondait toujours, d'un ton méprisant : "*A che mi sèrbi studiàri ?*" Apprendre à lire et à écrire, ça ne servait à rien, il refusait même de toucher un crayon. Il ne voulait qu'une chose, aller à la pêche avec son père et son grand-père. »

Elle était allée le voir chez lui et avait découvert qu'il jouait très bien de la guitare. C'était son oncle qui lui avait appris. Après en avoir parlé avec le proviseur et les autres enseignants de l'école, elle les persuada, eux et l'enfant, de faire un compromis : le *picciriddo* donnerait des leçons de guitare à ses camarades, leur apprendrait les accords et les notes et, en échange, essaierait d'écrire. Donnant-donnant : il savait jouer, les autres étaient capables d'écrire, et il est juste entre amis de s'instruire mutuellement.

Durant les après-midi passés ensemble, l'enfant lui avait raconté ses matinées perché sur son rocher à guetter les crabes pour les attraper à mains nues, et confié les pensées qui lui passaient par la tête pendant ce temps. L'horizon, par exemple, était pour lui une ligne de terre et de sable. Au nord de Lampedusa, cette ligne était la Sicile, et au sud l'Afrique tout entière. Il dit aussi que plus tard il aurait un bateau et qu'il l'appellerait *Cernia*, comme le mérou, le roi des poissons, et qu'il irait pêcher tous les jours que Dieu fait sauf le week-end – parce que ces jours-là on les passe avec sa femme et ses enfants –, et à midi, quand c'est le temps mort de la pêche, parce que les poissons sont bien réveillés et repèrent les filets, il irait dormir sur la terre ferme, parce que les rêves qu'on fait en mer se perdent dans la nuit. Il se coucherait sur une plage, en Sicile ou en Afrique, selon le vent et les courants, et avant de s'endormir il regarderait vers chez lui, vers Lampedusa, un bouton sur la mer pour attacher deux continents.

*

La première fois que je suis allé à Lampedusa, c'était à l'été 1991. Mes parents étaient partis avec mes frères passer les vacances dans les Dolomites, et j'étais resté seul à Palerme, pour être à la mer. Un de mes amis s'était souvenu qu'un de ses cousins possédait à

Lampedusa une maison selon lui accueillante et, sans trop réfléchir, nous avions rempli nos sacs à dos de masques, palmes, draps de bain et packs de bière pour faire Palerme-Porto Empedocle, en un peu moins de neuf heures de Vespa. Nous avions embarqué, et le lendemain matin nous étions à Lampedusa. J'ai peu de souvenirs de ce voyage. La perception nette de me trouver dans une extension de la Sicile, mais une Sicile restée trente ans en arrière, comme elle devait être à l'époque de mes parents, quand ma mère portait des robes à fleurs et mon père des lunettes de soleil à monture noire. La maison où nous logions était petite, et nullement accueillante. Nous dormions à sept par terre, les sacs de couchage ouverts et les oreillers éparpillés sur le carrelage. Nous avions dix-sept ans et les muscles du dos encore assez élastiques, comme le cœur : on souffrait d'avoir été plaqué, on croisait un regard amical et la douleur avait déjà disparu, des reins et de la poitrine. Il faisait extrêmement chaud. Nous ne cessions de dire « *Minchia ma ùnne siamo, in Africa ?* Merde, mais on est en Afrique ? », et chaque fois nous éclations de rire.

Quand le vent gonflait, il explosait la tête.

« *Mizzica*[1], c'est quoi ce vent ?

– Le *libeccio*, il dit, le pêcheur.

– Et d'où ça vient ?

– *Libeccio*, Libye.

– C'est mortel. »

Ce n'était pas du vent. C'était une démonstration de

1. « Mazette ».

pouvoir. Pour échapper à cette dictature, il fallait être sous l'eau.

Pendant trois jours nous mangeâmes du pain et des olives, le seul repas que nous pouvions nous permettre. Nous cherchions en vain un endroit pour danser. Aucun bateau ne nous emmena faire le tour de l'île car ils étaient tous à la pêche au large. Toutes nos tentatives d'approcher l'autre sexe furent un échec total.

« On fait quoi, on rentre ? Ça drague mieux à Mondello !

– *Amunì.* »

Entre l'île et moi, il n'y avait pas eu de coup de foudre. Je partis sans savoir si j'y reviendrais ni quand, la grande porte du ferry se fermait derrière moi et je ne me retournai pas pour regarder, pas d'au revoir, pas d'adieu romantique, je lisais le dernier numéro de *Dylan Dog* et je chantonnais *Have you ever been (to Electric Ladyland)*, pour me donner un genre. Dévoré par l'angoisse du bac l'été prochain et par la terreur de rester seul toute ma vie, je voulais seulement trouver des lèvres rouges auxquelles me brûler et désirais de tout mon être écrire une grande chanson engagée avec un solo vibrant de guitare électrique. Ces trois jours furent une punaise plantée sur ma carte mentale de la Sicile : Lampedusa, c'est fait, au suivant.

Palerme, en cet été de 1991, était une bête féroce, prête au massacre pour une place de parking ou pour un regard de travers.

Frappée à coups de pied au cul, les nerfs à fleur de peau.

À genoux, mais qui continuait de griffer tout le monde.

Ma mère, au téléphone, répétait les phrases maternelles habituelles : « Les Dolomites sont magnifiques, les gens sont habillés à la tyrolienne, il y a tellement d'herbe qu'on dirait un lac. Mais toi, fais attention quand tu sors. Est-ce que tu te laves ? La maison est propre ? Tu manges ? La vaisselle tu la fais, ou je dois m'attendre au pire à notre retour ? »

Brusquement, changement inattendu :

« Attends, je te passe ton père. »

Lui aussi dut être surpris, puisque nous sommes restés muets tous les deux pendant vingt secondes, chacun entendant la respiration de l'autre.

Enfin, notre dialogue entra en scène.

« Salut papa.

– Salut.

– Comment ça va dans les Dolomites ?

– C'est la montagne.

– Moi, je suis allé à Lampedusa.

– C'est comment ?

– C'est la mer.

– Bien, alors.

– Un jour peut-être je t'y emmènerai.

– Peut-être, oui.

– Alors *ciao*.

– *Ciao*. »

Quand nous ne savions pas quoi dire au téléphone, je m'étais aperçu que nous prenions la même posture : la main gauche dans la poche, les pieds solidement plantés, le corps qui balance d'avant en arrière, la main droite qui triture le combiné, comme s'il pouvait lui-même mettre fin à la conversation. Les émotions s'imprimaient de façon identique dans notre corps. Pour lui aussi, comme pour moi, la respiration devait s'arrêter au moment où survenait l'angoisse, un coup dans les côtes, une contraction à hauteur des omoplates et, aussitôt après, l'explosion d'un mal de tête impossible à maîtriser sans analgésique. Nous étions deux pages différentes écrites par la même main. Est-ce donc cela, être père et fils ? Reproduire les mêmes émotions et la manière d'y succomber ?

*

Je continuai de revenir à Lampedusa.

L'oncle Beppe n'y était jamais allé.

Il serait tellement content de nager ici, pensais-je en regardant Cala Pisana, me promettant qu'un jour je l'amènerais sur l'île lui aussi, comme j'y avais amené mon père.

Au téléphone, j'avais fanfaronné : « Un jour, on ira ensemble.

– Quand je serai guéri », m'avait-il répondu, me ramenant en quelques mots à la réalité.

*

J'avais assisté à plus de vingt débarquements. L'un avait duré de minuit à une heure quarante. Je me trouvais sur la partie haute du môle Favaloro, en compagnie d'un officier des gardes-côtes.

Il me dit : « Au bout de quelques années, ce qui nous arrive est un peu ce qui arrive à la peau exposée au soleil. Elle durcit, elle devient une cuirasse. Mais ce qui compte, c'est ce qu'on a en soi. Je veux parler de la *pietas*, au sens de dévotion, des êtres humains, d'une tentative désespérée pour ramener à zéro le nombre des morts en mer. Une folle bataille, comme celle de Don Quichotte. Mais qu'on doit livrer chaque jour que Dieu fait. »

La vedette accosta, jeta l'ancre, les opérations de débarquement commencèrent.

Il ajouta : « Le plus beau, c'est quand on voit arriver des enfants, et qu'ils sont vivants. »

Enveloppée dans une couverture, une *piccirìdda* de trois ans à peine. Le plongeur géant rencontré chez Alberto la portait dans ses bras. La petite ne pleurait pas, elle dormait, tranquille.

Puis descendirent les jeunes filles.

C'était presque toutes des Nigérianes, très jeunes.

Peut-être entre douze et quinze ans.

Il y en avait deux cent trente-sept.

*

Février avait donné à la journée tout entière une couleur de plomb.

Il faisait presque froid à Cala Pisana.

Le soir s'emparait de l'horizon.

Je pris mon portable et composai un numéro, en attendant que Paola ou Melo vienne me dire à la fenêtre que c'était prêt.

« Bonjour papa.
– Eh, comment tu vas ?
– J'y suis. À Lampedusa. »

Cette position sur l'échiquier du monde comme la seule réponse possible.

Je suis une géographie.

Mon état d'âme est celui de l'île.

Tout était tellement flou.

Pour mettre de l'ordre dans mes pensées, il me fallait une amorce.

Dans ma tête résonnaient les hurlements du mistral.

Je n'allais pas y arriver tout seul.

Petit, j'avais été piqué par trois guêpes à l'omoplate gauche. Maman me tenait la main, j'avais un coussin entre les dents pendant que papa sortait les dards à l'aide d'une aiguille et d'un couteau.

J'avais besoin de lui là encore, dans cet hiver de Lampedusa, pour extraire ces nouveaux aiguillons qui me tourmentaient.

Il demanda : « Qui as-tu rencontré, aujourd'hui ? »

Non, je n'y arriverais pas tout seul.

Alors je rendis les armes et, sans préambule, sans réfléchir, parlai de la première image qui m'était venue à l'esprit, malgré la honte de laisser voir de moi plus que je n'aurais voulu.

« Papa, j'ai rencontré un samouraï. »

Il avait quarante-quatre ans. Commandant des gardes-côtes, il pilotait une vedette côtière classe 300. Son quotidien et celui du reste de l'équipage se résumait aisément : sortir en mer à n'importe quelle heure du jour et de la nuit, quelle que soit la météo, dès qu'arrivait un appel au secours. Quand il n'était pas en mer, il s'entraînait avec ses hommes sur la terre ferme.

« S'entraîner, ça aide à faire face, me dit-il. À supporter la fatigue. La souffrance. On s'entraîne pour avoir le moins mal possible. Ce qui nous fait mal, ce sont toutes les personnes qu'on n'arrive pas à sauver. »

On aurait dit un paquet de nerfs.

Ce métier, il le faisait depuis vingt-six ans.

« On travaille surtout le torse et les épaules, avec des exercices spécifiques à cet entraînement. Au moment où on les repêche, les gens tombés en mer ne peuvent plus bouger les jambes, ils sont restés trop longtemps immobiles sur les canots dans la même position. Ils sont épuisés, déshydratés, certains sont évanouis. Un matin, on en a sorti de l'eau mille trois cents, à la seule force des bras, les uns après les autres, un corps à la fois. Ça a duré des heures. »

À force d'être exposée au soleil, sa peau était devenue noire.

De fines rides parcouraient son front, comme des sillons creusés par le vent.

Il avait l'allure royale d'un noble guerrier.

C'est un samouraï, pensai-je.

Un samouraï aux commandes d'une vedette en pleine mer.

« Il s'appelle comment ? demanda mon père au téléphone.

– Giuseppe.

– Comme oncle Beppe », dit-il, avant de plonger dans un silence plein d'émotion, délibéré.

En appelant son frère « oncle Beppe », mon père me donnait un rôle – celui du neveu – dans leur relation fraternelle, en même temps qu'il mettait entre eux deux une distance. La tumeur qui avait envahi tout le corps de Beppe inquiétait vraiment mon père. Je ne l'avais vu ainsi que lorsque je venais d'avoir quatorze ans, et avais failli mourir d'une broncho-pneumonie avec réaction allergique. Cet après-midi-là d'avril, la fièvre monta au-dessus de 41. Je délirais. Je ne contrôlais plus mes muscles. Mes parents me déshabillèrent entièrement et me passèrent tout le corps à l'alcool. Ce fut efficace. Ma température baissa et je ne mourus pas. De ces jours je ne garde que deux souvenirs. Dans le premier, ma mère me nourrit car je suis trop faible pour lever les bras. J'avale deux quartiers d'orange. Dans le second, il y a mon père : il m'offre un CD, *Miramare* de De Gregorio, et quand il me le tend, sa main tremble. Dans ses yeux bleus, l'angoisse est palpable. Ses attitudes elles-mêmes ont changé : à de longues pauses d'immobilité succèdent des mouvements secs et rapides. Le danger de mort est écarté, mais la peur s'est insinuée en lui, plus vive à chaque respiration, rongeant ses certitudes et ses illusions, pour l'envoyer dans cette partie de la vie où règne l'extrême violence, quand nous comprenons soudain que ceux que nous aimons peuvent eux aussi mourir.

Le samouraï avait deux enfants, un petit garçon et une petite fille. Sa femme était de nouveau enceinte : des jumeaux, cette fois.

« Quand je suis en mer, je me déconnecte à mesure que je m'éloigne. Je préfère ne pas penser à eux. Dans une situation pareille, si tu penses à ta famille, tu t'affaiblis. Le sport aide énormément, ça permet de faire le vide. Je me débranche, jusqu'au moment où il n'y a plus que moi et mon but : sauver des gens. »

Il gardait la même position, dos droit, bras croisés.

« Les premières années, nos conditions étaient vraiment spartiates. On attrapait les gens à mains nues. Aujourd'hui on a des combinaisons, des masques, des gants. Il faut des règles : la première de toutes, c'est qu'il faut contrôler la situation avant de transborder les gens. Ils voudraient tous monter ensemble, en même temps. Ils se poussent, ils se tirent, ils se penchent. L'embarcation risque de chavirer. Et puis dès qu'on se rend compte du nombre de personnes sur le pont, on sait qu'il y en a autant dans la soute. Alors un membre de l'équipage saute dans le bateau et coordonne les opérations : pour chaque personne débarquée du pont, une autre doit sortir de la soute. La priorité absolue, c'est de maintenir l'assiette déjà précaire du bateau. Souvent, dès qu'ils ont sauté sur la vedette, ils s'évanouissent. Ils sont épuisés, ils n'en peuvent plus. Quand ils nous voient, ils essayent de survivre jusqu'au bout, d'utiliser le peu d'adrénaline qui leur reste. Et une fois à bord, ils s'écroulent. On a dû en ranimer pas mal dans la vedette… »

Son ton ne changeait pas, ni le rythme de sa respiration. Comme s'il avait entraîné aussi sa cage thoracique à contenir l'angoisse.

« Quelquefois, les bateaux chavirent. Ils coulent très vite. Et la mer est couverte de corps au moment où on arrive. Ou pas encore, mais c'est juste une question de temps, de vitesse, de chance. Quand un corps coule, tu vois des bras qui s'agitent et puis plus rien. Ça se passe en un instant. »

Quand mon silence au téléphone devenait trop long, mon père faisait un bruit d'acquiescement. Je l'imaginais assis dans son fauteuil, dans le salon, dans l'obscurité, les yeux fermés. J'entendais mille questions dans sa tête, qu'il retenait, parce que je n'avais pas encore fini. Mais j'étais fatigué, j'avais besoin de faire des pauses, besoin que la flamme de l'anxiété brûle ailleurs.

« Tu as parlé avec oncle Beppe ? finis-je par demander.

– Oui.

– Quand ?

– La semaine dernière.

– Comment tu l'as trouvé ?

– Il avait l'air un peu mieux.

– Pourquoi tu ne l'appelles pas ? » insistai-je.

Papa était dans une impasse.

« Je sais, t'as raison. »

Il laissa le silence dire ce que sa voix ne pouvait exprimer. S'il appelait rarement son frère, c'était qu'il craignait plus que tout la possibilité concrète d'en recevoir de mauvaises nouvelles. Bien qu'ils n'habitent pas la même ville ni la même région – mon père vit à Palerme, mon oncle de l'autre côté du détroit, à Reggio Calabria, « sur le continent », comme nous disons nous autres îliens de ceux qui ne sont pas sur une île – mon père préférait se retrancher dans le silence, digue protectrice entre lui et la peur de la mort de Beppe. « Pas de nouvelles, bonnes nouvelles », dit l'adage populaire. Mon père en avait fait son credo. Ce silence était comme de la ouate, un bouclier, un espoir et une prière.

« Mais il serait content que tu l'appelles.

– T'as raison », répéta-t-il.

Un simple et vaguement lâche constat.

Le mistral rugissait, la mer face à moi devenait grosse, il ferait bientôt noir.

Elles tombent toujours les premières, les ténèbres de l'hiver.

« Dans un de nos derniers sauvetages, quand on est arrivés sur zone, ils étaient déjà tous à la mer. Encore une tragédie, j'ai pensé. Le scénario ressemblait tellement à d'autres que j'avais déjà vécus. Notre vedette et l'autre unité, on a tout de suite lancé à l'eau des radeaux, des gilets, des bouées, là où il y avait le plus de gens. On leur a dit de rester calmes, qu'on allait s'éloigner mais qu'on reviendrait les repêcher très vite. C'est toujours terrible, ce moment-là. Dès qu'ils te voient t'éloigner, ils sont pris de panique. Ils s'agitent. Ils risquent de se noyer. Mais on ne peut pas rester. On s'est remis en route vers l'autre extrémité du naufrage, notre vedette à bâbord, l'autre à tribord. Il y avait des gens dispersés à la surface de la mer sur un rayon de trois milles. »

C'est la parabole de la brebis égarée, me dis-je. Espérer que le troupeau ne va pas se noyer pendant qu'on tente de récupérer les autres que le courant emporte. Le catéchisme appris dans mon enfance résonnait dans ma tête et dans mon cœur, parce que c'en était l'exemple concret. La parabole enfin s'incarnait. Elle était là, dans la fatigue des muscles qui récupèrent les corps, dans le regard qui scrute les vagues pour ne pas perdre de vue ne serait-ce qu'une vie, dans l'effort de garder son calme pour sauver tous les perdus en mer.

« On a commencé à sortir les gens de l'eau un par un, en partant des deux extrémités et en se rapprochant peu à peu de l'endroit où on avait lancé les premiers radeaux. On les a tous repêchés. Tous. Il y en avait cent cinquante-six. Malheureusement, il y en a un qu'on n'a pas pu sauver. On lui a fait un massage cardiaque à bord mais il était arrivé au bout, c'était évident. »

Le décompte des vivants et le décompte des morts.

L'origine de la torture, la raison de la bataille.

« Un matin, on a sorti de l'eau un jeune qui ne respirait plus. Son cœur avait cessé de battre. Même le médecin l'avait déclaré mort. Un de mes hommes, celui qui l'avait repêché, disait avoir senti un battement à son pouls, faible, presque imperceptible. Il a commencé à lui faire un massage cardiaque. Je ne sais pas ce qui lui était passé par la tête, mais il a fait le massage cardiaque pendant vingt minutes, en pleine mer, au retour d'un sauvetage où on avait sauvé cent cinquante-huit personnes sur cent cinquante-neuf, et le seul à ne pas s'en être sorti, c'était celui-là, qu'il s'acharnait à ranimer, contre toute logique. Vingt minutes de massage cardiaque ininterrompu. Une éternité. Je ne sais pas où il a trouvé toute cette énergie pour continuer aussi longtemps. On était tous ébahis. Et tu sais quoi ? Ça a marché. Il a réussi à le ramener. Cet homme donné pour mort a repris vie. Son cœur a recommencé à battre. On n'arrivait pas à y croire. Le médecin du bord a déclaré : "Il l'a ressuscité." »

Le samouraï sourit, mais tout ce que je voyais, c'était le berger qui pensait à son troupeau et donnait tout pour sauver la seule brebis égarée.

« Il y a une chose qui m'a vraiment bouleversé, papa. »

La respiration de mon père avait brusquement changé. Il recommençait à respirer comme un médecin. Il posa un diagnostic sous forme de question :

« À ton avis, il souffre de stress post-traumatique ?

– Non », répondis-je aussitôt.

Et je me corrigeai : « Enfin, je ne sais pas.

– Peut-être que oui, moi je dirais que oui. »

Je n'en avais aucune idée.

« Quand il parlait, ça ouvrait des gouffres. Comme si j'étais devant un survivant de guerre. Et ce corps entraîné, ces yeux immobiles étaient les signes physiques de la bataille toujours en cours là-bas, à l'horizon, où se perpétrait un massacre sans fin. Sur lui étaient écrits les sons et les odeurs de cette guerre. Je ne sais pas comment le dire mieux, papa, excuse-moi.

– Tu n'as pas à t'excuser. »

Je m'assis sur le muret du patio et appuyai ma main droite sur mes yeux. Je poussai un lent, sonore et profond soupir. Et pris une inspiration encore plus profonde.

« Ce qui m'a bouleversé, je crois, c'est de voir autant de mort sur son visage. Cet homme, c'est un témoin direct de la part la plus sombre de l'Histoire. Ses collègues et lui se battent tous les jours mais pas contre la mer ou contre le temps, non. C'est la mort elle-même qu'ils vont défier. Et une telle bataille marque forcément ton visage, ta peau, ta respiration, ton regard.

– Ça t'a inspiré quoi comme sentiment ?

– Du respect, et de la gratitude, papa. J'avais envie de le serrer dans mes bras. Mais je ne l'ai pas fait. Je le regrette. »

Au commandant de la capitainerie du port, j'avais demandé quel était le moment le plus difficile qu'il avait vécu à Lampedusa. Je m'attendais à une histoire pleine de tragédie et d'héroïsme sur décor marin d'apocalypse.

« Quand on a perdu l'un des nôtres pour cause de maladie », me répondit-il.

Il raconta tous les efforts déployés pour qu'il bénéficie des meilleurs soins, des dernières avancées des spécialistes, les jours de congé passés à lui rendre visite à l'hôpital, la torture des derniers jours de la maladie, la douleur inconsolable de sa famille, leur désarroi à tous.

« On n'arrivait pas à se faire à l'idée qu'il allait mourir. Il avait un grand cœur, il était toujours joyeux. Et puis il était des nôtres. »

L'esprit de corps se retrouve surtout chez ceux qui vivent des expériences qui secouent violemment, comme la guerre. Les soldats gardent en eux la trace des liens exceptionnels tissés entre eux sous les armes. Des liens qui se forment vite, lumineux comme une flambée. Les circonstances extraordinaires créent des liens extraordinaires. Et en un certain sens, de façon biaisée mais non moins réelle, les soldats restent liés à la guerre, ou plutôt à cette réalité féroce qui intensifie les relations du groupe. Un amour terrible pour la guerre, où se développe un sentiment de fraternité irréductible, renforcé par le fait que chacun sauve la peau de l'autre. Ces sentiments sont si forts, si puissants, qu'il est parfois impossible d'en retrouver l'équivalent au cours d'une vie. Ainsi, après une guerre, toute une vie parfois ne suffit pas à revivre cette intensité.

L'amour n'est pas seul à créer des liens.

La violence aussi en crée.

La guerre les engendre : Πόλεμος, polémos, est père de toute chose.

Les équipages travaillent sur le visible, avant que les corps ne soient engloutis. Ils sont habitués à sauver des vies, et quand l'un d'eux – un sauveteur – meurt de maladie, il leur faut se rendre à l'évidence : devant l'invisible, nous sommes impuissants. Tous les entraînements du monde n'y peuvent rien. La maladie se meut sous la surface. Elle s'empare du corps par en dessous, comme un poids intérieur qui entraîne vers le fond, inexorablement.

Dans une théologie de la matière, qu'est-ce qui te sauve, si c'est la matière même qui mange ta vie ?

Est-ce la même impuissance que ressent le médecin quand un patient meurt, quand un traitement échoue, quand la tumeur envahit de nouveau un frère qui avait déjà triomphé d'un cancer ?

On assiste impuissant au naufrage, et c'est comme si l'eau pénétrait aussi en nous.

Le samouraï dit : « Raconter ça aide, c'est sûr, ne serait-ce que pour se libérer de tout ce qu'on a en soi. Moi, en fait, je ne raconte rien. Même à ma femme. Ça ne serait pas juste de l'angoisser. Elle me dit souvent : "Tu ne me racontes jamais comment ça se passe dans ton travail", mais je préfère qu'elle reste en dehors. Bon, j'aime que mes enfants sachent quel travail fait leur père, c'est un motif de fierté pour eux, ils en parlent à leurs camarades d'école quand ça passe au journal télévisé. Mais je n'en dis pas plus. Avec les collègues, on fait toujours un débriefing après chaque intervention, pour voir ce qu'on aurait pu améliorer. On discute de l'événement en lui-même. On ne va pas au-delà, on évite. On optimise le fonctionnement, et puis le personnel sera remplacé en septembre. Mon expérience à Lampedusa sera terminée, d'autres collègues viendront. Je partirai en laissant une famille, des gens avec qui j'ai vécu vingt-quatre heures sur vingt-quatre. Tout ce que nous avons affronté ensemble, ça a renforcé nos liens. »

Le samouraï changea de position. Il se tourna pour regarder la mer. Nous en étions au dernier chapitre, celui où le guerrier découvre sa poitrine et dévoile le vrai champ où la bataille a fait rage.

« Une fois, j'ai eu un instant de faiblesse. Le jour du 3 octobre, j'étais dans le premier bateau à sortir en mer après le déclenchement de l'alarme. On a repêché ceux qui étaient vivants, puis on a remonté les cadavres qui flottaient. Une semaine après, le 11 octobre, il y a eu un autre naufrage, au large. Même situation, même torture :

tu as repêché tous ces morts et voilà qu'une semaine plus tard, quand tu croyais avoir vu le pire, ça recommence. Tu revis exactement la même scène. »

L'entraînement, l'esprit de corps, l'orgueil ne lui servaient plus à rien.

Sa poitrine était découverte.

Mon cœur, mon cœur, combien de traits encore devront te transpercer ?

« Ceux que nous sommes allés récupérer en pleine mer le 11 octobre, c'étaient des Syriens... il y avait une petite fille dans l'eau qui ressemblait tellement à ma fille... elle flottait à la surface... je l'ai prise dans mes bras... elle lui ressemblait vraiment... je me suis vu dans la même situation... elle était exactement comme ma petite fille... la même coupe de cheveux... le même visage... ça m'a complètement perturbé... je suis resté bloqué pendant quelques minutes... comme ma fille... j'essaie de ne plus y penser... plus jamais... »

Le soleil avait commencé de se coucher derrière la ligne d'horizon.

« Qu'est-ce que tu feras quand tu seras loin d'ici ?

– Je resterai près de ma famille. Je naviguerai là où c'est chez moi.

– Tu ne peux pas t'en passer.

– C'est mon travail. Mais je respecte profondément la mer. Je n'ai jamais rien vu de plus beau que l'aube ou le coucher du soleil sur l'eau, des lumières tellement intenses, c'est une des choses qui nous font aimer ce métier. Quelquefois, je me dis : voilà pourquoi je l'ai fait, pour conserver ces images dans ma mémoire, à travers le temps. »

Au moment de nous quitter, je fis une légère inclinaison de la tête, comme c'est l'usage au Japon. C'est ainsi que là-bas les guerriers se saluent.

La nuit était descendue sur Cala Pisana.
Le ciel s'assombrissait de nuages.
On ne voyait aucune étoile s'y refléter.
Nul lamparo en mer.
Aucune lumière devant les yeux.
« Tu as bien fait de le faire parler. »
La remarque de mon père m'arriva par surprise.
« Tu crois ?
– Oui. »
C'était une ouverture, une corde lancée, une façon de me dire : « Aide-moi à parler moi aussi. »
Il aurait voulu que je joue le rôle, moi son fils, de père ou de frère aîné. Mais il y avait autour de moi tout le noir de l'hiver, et j'étais épuisé.
« Papa, Melo vient d'arriver dans le patio, on va dîner. »
Mon père resta silencieux quelques secondes, trop pour lancer un second appel à l'aide.
Sa respiration avait changé de nouveau.
Entre systole et diastole, l'angoisse était revenue.
« Bon, alors *ciao.* »
Chacun de nous resta encore en silence, le téléphone à la main, face à son propre vide, comme deux embarcations qui n'ont fait que se frôler la nuit en mer et reprennent ensuite leur voyage en solitaire.
Il y a une photo de mon père que j'aime particulièrement. Elle représente, côte à côte, sur une hauteur, une

ruine et un arbre, peut-être un chêne vert, ou un poirier sauvage. C'est un cliché en noir et blanc. Le ciel, indifférent aux affaires terrestres, est un arrière-plan immobile traversé par des cirrus qui s'étirent et forment comme des entailles nettes sur la toile. Plus bas, au ras de la ligne de crête, de blancs nuages dispersés créent une illusion de vertige. Au premier regard, le cliché semble avoir été pris sur une montagne, mais un petit triangle sombre en bas à droite révèle la présence de la mer juste en dessous, indiquant qu'il s'agit seulement d'une colline. Les points les plus intenses de la photo sont le feuillage de l'arbre et la minuscule fenêtre de la ruine.

Dans ce décor immobile, comme sont immobiles la Sicile, le monde, la vie elle-même, la ruine et l'arbre se retrouvent voisins, camarades de scène.

J'avais montré la photo à Silvia.

« C'est très fort.

– Ça me fait penser à ma relation avec mon père.

– Évidemment », avait-elle répondu. Puis elle m'avait déstabilisé. « Ton père et toi vous avez appris à cohabiter en silence, exactement comme l'arbre et la ruine. Tu vois, c'est bien que ton père maintenant se serve de la photo et que toi tu aies choisi l'écrit : vous avez tous les deux de quoi vous faire de l'ombre, et en même temps vous protéger l'un l'autre. Peut-être que, pour finir, vous réussirez à vous parler, comme l'arbre et la ruine se parlent quand il n'y a personne. »

Paola avait préparé de grosses crevettes et des rougets.

« Toi, tu es rétamé.

– Ça se voit tellement ?

– D'habitude tu avales n'importe quoi. »

La lune avait commencé à percer les nuages, que le mistral avait balayés. Ils ne sont pas infinis, les nuages. Tôt ou tard, ils disparaissent. La lune était rouge à la fenêtre, et chaud son reflet sur la bande de mer de la baie.

Paola souriait en s'allumant une cigarette.

« Tu sais comment j'ai commencé à comprendre ce qui se passait, Davidù ? C'est grâce à un Kurde qui était arrivé de cette façon dans l'île. Tu te rappelles, Melo ?

– *Minchia*, inoubliable, il était complètement génial », répondit Melo avant de boire d'un trait un verre entier de bière.

Il poursuivit : « Il avait peut-être la quarantaine, il enseignait je ne sais plus quelle matière scientifique, peut-être la chimie, je ne me rappelle pas bien. On riait et on plaisantait, en anglais et en français. À un moment, le Kurde nous a raconté une histoire drôle. Ça nous a ouvert les yeux : malgré tout – malgré la prison en Libye, la traversée hallucinante qu'il avait affrontée pendant des jours et des jours, sa famille restée au pays –, le fait qu'il raconte une blague m'a fait comprendre que ces gens n'étaient pas une abstraction ou des titres dans les journaux, mais des êtres humains, comme nous. Je sais que ça peut paraître exagéré, mais je t'assure que non. Je ne m'en vanterai pas, mais je dois reconnaître qu'il m'a fallu une histoire drôle pour réaliser les choses. »

Melo s'était installé sur le divan, tandis que la cigarette se consumait entre les doigts de Paola. Une longue colonne de cendre tomba dans le cendrier et se brisa sur le fond.

« Avant, dit Paola, j'avais tendance à voir leur souffrance, les corps amaigris, les bleus, les cicatrices, leur regard effrayé. Je les regardais du haut de mon piédestal, tu comprends ? D'une position qui, puisqu'on les aide, les rend redevables à jamais. Et cette histoire drôle m'a fait prendre conscience de l'épaisseur de l'histoire individuelle de chacun. Je ne pouvais pas comprendre la douleur des expériences qu'ils ont vécues, mais je réalisais tout à coup que c'était, que c'est une erreur gigantesque de les traiter avec ce paternalisme absurde. Il n'y a pas que le désespoir. Il y a le besoin de réussir, de devenir meilleur, il y a les chansons et les jeux, l'envie de goûter certains plats ou de plaisanter avec les autres. En tout cas, voici l'histoire drôle du Kurde : Un Kurde meurt et on l'envoie en enfer. Il y passe son temps à pleurer. Arrive un ange qui lui demande : "Kurde, pourquoi tu pleures ?" Le Kurde répond : "Je ne veux pas rester ici." L'ange répond : "D'accord, viens avec moi." Et il emmène le Kurde au paradis. Là, à peine y est-il que le Kurde se remet à pleurer, désespéré, sans plus pouvoir s'arrêter. Arrive alors le Bon Dieu en personne, qui lui demande : "Kurde, pourquoi tu pleures ?" Et le Kurde répond : "Je ne veux pas rester ici." Et Dieu dit : "Même le paradis ne te convient pas ? Où veux-tu aller ?" Et le Kurde répond : "En Allemagne." »

Il y a une expression dans mon dialecte, « *calare u' scuro 'impetto* », fermer les volets dans sa poitrine, qui désigne un état d'âme précis : celui où le découragement te tombe dessus et t'envahit tout entier. En dialecte palermitain, la poitrine est une zone corporelle plutôt large, qui va de la gorge jusqu'aux bras et même plus bas, sous l'estomac. C'est la première partie d'un être humain à entrer en collision avec les hasards de l'existence. C'est dans la poitrine qu'arrivent les émotions. Le cœur, par exemple, se dessèche. « *Mi siccò 'u cori* », quand on découvre une chose si douloureuse qu'elle aspire l'essence même de la vie, l'eau, qui s'arrête de jaillir à ces latitudes. Quand les volets se ferment sur la poitrine, la moindre parcelle de vie se retrouve prisonnière d'arides et profondes ténèbres. Plongé dans cette obscurité, on ne croit pas en une possible rédemption si, à l'horizon, une comète ne désigne pas une issue à cette souffrance.

Et puis il y a le mouvement inverse, quand disparaît le volet et que « *'à tavola d'u petto si gràpe* », le devant de la poitrine s'ouvre, et que « *si gràpe puru i cori* », le cœur s'ouvre aussi, et alors la cage thoracique s'ouvre, les côtes s'écartent comme pour une étreinte, font entrer l'air et la lumière, car le bonheur n'est tel que s'il est libre.

La blague du Kurde dissipait déjà un peu mes ténèbres.

« Allez, Davidù, te casse pas la *minchia* et bois un peu de bière avec moi. »

J'étais fasciné, complètement fasciné par sa manière d'intervenir, directe, sans se soucier des conséquences. J'étais las des calculs dans les relations humaines.

La dernière fois que j'avais été hébergé chez eux à Cala Pisana, la chambre de l'autre côté du patio était occupée par un couple en vacances, lui aveugle depuis ses premières années, elle qui avait réussi à voir jusqu'à ses dix ans. Ils avaient des ordinateurs qu'ils commandaient à la voix.

Je n'avais jamais pensé pour ma part que des aveugles puissent partir seuls en vacances.

Melo écoutait bouche bée ce qu'ils racontaient. Il les laissa parler pendant trois jours, sans jamais dire un mot. Puis, au petit déjeuner, il leur posa une question directe :

« Vous rêvez ? »

Cela faisait plusieurs jours qu'il tournait cette question dans sa tête.

« Oui, répondirent-ils en chœur, mari et femme, qui se mirent à rire, contents que Melo ne se soit pas gêné avec eux.

– Et vous rêvez de quoi ? insista Melo.

– De sons, d'odeurs, de sensations tactiles. »

Grâce à l'audace de Melo s'ouvrirent devant moi des perspectives jamais imaginées jusque-là, où les rêves sont une mélodie, les odeurs des troncs d'oliviers rencontrés dans l'enfance, la douceur de la soie qui vient se poser sur les reins, le goût de cerise d'un baiser qu'on croyait avoir perdu.

Paola venait de mettre sur le feu la cafetière du soir.

« Tu reviens quand, avec ton père ?

– Pourquoi ? Moi tout seul je ne vous suffis pas ?

– Non, ton père est mieux, répondirent-ils de concert, avec un petit rire.

– Oh oh, bientôt je viendrai peut-être aussi avec mon oncle. »

Je ne le savais pas, mais mon père et moi reviendrions, onze mois après ce premier et, jusque-là, unique voyage ensemble, pour la commémoration du 3 octobre. En mer, des gens continueraient à mourir et le lymphome de l'oncle Beppe se serait aggravé.

« Tu l'as trouvé comment, le docteur du CISOM ? » demanda Melo, qui voulait savoir. CISOM est l'acronyme de Corps italien de secours de l'Ordre de Malte, la structure de volontariat civil qui, à Lampedusa, fournit un soutien médical sur les vedettes des gardes-côtes et de la marine militaire, afin de porter plus vite les premiers secours.

« Elle était chamboulée. Comme tous ceux que je rencontre. Comme tous ceux qui vivent sur l'île. Comme vous l'êtes vous aussi. »

Paola se leva pour éteindre sous la cafetière, qu'elle apporta au milieu de la table, Melo finit sa bière en buvant directement à la bouteille. Le coin-repas était accueillant, j'avais la baie devant les yeux, le parfum d'air salé était partout et mon père me manquait.

Le docteur s'appelait Gabriella. Elle avait moins de trente ans, elle était décontractée, avec des manières aimables, et des tragédies qu'elle voulait laisser derrière elle.

« À bord des vedettes côtières, nous, du CISOM, nous sommes deux, un médecin et une infirmière. S'il n'y a pas de blessés graves, on voit d'abord les enfants puis les femmes, enfin les hommes. Souvent nous trouvons des femmes enceintes. Une fois, il y en a eu beaucoup, une douzaine au moins, du deuxième au huitième mois de grossesse. »

La plupart des grossesses sont la conséquence des viols.

Il est toujours pire d'être une femme, quand on est du mauvais côté de la frontière.

« Les hommes ont en général des contusions, des foulures, des fractures à cause des tortures dans les prisons libyennes. Certains ont des marques de blessures par armes à feu. Nous avons examiné un garçon avec une béquille, blessé à la jambe par un projectile. On voyait clairement la trace des trous d'entrée et de sortie. Les jambes sont les membres les plus atteints par les armes à feu, mais il arrive aussi de voir des jeunes qui ont des blessures identiques aux épaules et aux bras. »

Melo se leva, prit deux bières, les déboucha et en posa une devant moi.

Paola dit : « Je suis de plus en plus convaincue que pour les médecins embarqués dans les missions en Méditerranée les conditions de travail sont semblables à celles d'un camp dans une zone de guerre.

– Toi, me dit alors Melo, tu es entouré de médecins. » Et il ajouta : « Ton père, ta mère, ton oncle.

– Cardiologue, neuropsychiatre pour enfants, néphrologue », répondis-je.

Depuis tout petit, je me sentais protégé par la présence constante de ces médecins.

« Pourquoi tu n'as pas fait médecine ?

– Quel besoin ? Il y en avait partout autour de moi. »
Rien ne pouvait m'arriver, tout serait diagnostiqué à temps, tout serait soigné. C'est peut-être pour cette raison que j'avais une telle difficulté à comprendre combien mon père était troublé par le lymphome de son frère. Il avait déjà eu une tumeur et il l'avait vaincue dans les grandes largeurs. Foutu cancer, va te faire voir, tu ne gagneras jamais contre nous, les Enia.

Gabriella dit : « C'était un dimanche matin en février. On ne s'attendait pas à un coup de fil, avec une mer de force 7 aucun départ d'embarcation n'avait été signalé. C'était le déjeuner, on était allés à la messe sur l'invitation du personnel du CISOM de Lampedusa, avec quelques hommes de la capitainerie du port et le commandant de la police de répression des fraudes. Et à la fin du déjeuner, le commandant de la base militaire de Lampedusa a reçu un appel : cible à secourir à cent trente milles nautiques de Lampedusa. Très loin donc, et il était déjà trois heures de l'après-midi. Il fallait foncer, sur une mer où les conditions étaient terribles. J'étais aussi inquiète qu'électrisée, puisque c'était ma première sortie. Dès le départ, des membres de l'équipage se sont sentis mal, ils vomissaient. La mer était très agitée, les vagues énormes. D'autres membres de l'équipage se sont trouvés mal pendant le voyage. Et ils se sont mis à vomir eux aussi. Je les regardais et je me disais : "Mais comment peuvent-ils être dans cet état ? Moi qui n'ai pas l'habitude, je réagis très bien." J'ai essayé de leur donner des indications générales sur la meilleure posture à adopter pour réduire les malaises, en leur conseillant de boire beaucoup d'eau et de prendre des vitamines. Je me suis proposée pour faire des piqûres mais, avec cette tempête, les mouvements de la vedette étaient imprévisibles, on risquait de faire plus de mal que de bien. Pendant le trajet, je me suis aperçue que le commandant avait une grosse fièvre. À mon entrée dans la cabine il était déjà en haut, aux commandes, si bien que personne n'en avait rien su. »

Paola allumait et éteignait son briquet. Le paquet restait sur la table. Ce n'était pas encore le moment d'allumer une autre cigarette.

Melo venait de boire une gorgée de bière.

« La Méditerranée, quand il y a de la tempête, est une mer particulièrement difficile pour ce genre de mission, commenta-t-il.

– C'est ce que Simone nous disait quand il est revenu de l'océan », ajouta Paola.

Cet été-là, à la fin de la saison, Melo avait convaincu Simone de tenter la traversée de l'Atlantique comme membre d'équipage sur un bateau à voile.

« Simone était ravi en rentrant de son aventure. Il disait que ces deux semaines lui avaient fait comprendre la différence énorme qu'il y a entre la Méditerranée et l'Atlantique. Les secours en mer sont plus compliqués chez nous, parce que entre Lampedusa et l'Afrique les fonds marins sont nettement moins profonds que dans l'océan. Dans l'Atlantique les vagues sont très hautes, elles durent plusieurs dizaines de secondes, tu les vois arriver longtemps à l'avance et tu les chevauches. Le temps qu'il te faut pour franchir la vague est long. Alors que chez nous les vagues s'abattent les unes après les autres, sans cesse, comme une suite de coups de poing contre la coque, et la hauteur varie, ça monte et ça descend tout le temps. Les conditions de sortie en mer des gardes-côtes ici sont vraiment hallucinantes, au sens propre, ce n'est pas une manière de parler. »

Cela confirmait ce que tout le monde m'avait dit en ville : les gardes-côtes sortent par tous les temps, quelle que soit la mer. Quand j'avais parlé au samouraï de ce chœur unanime sur leur travail, il avait répondu : « Il y a un film avec Kevin Costner, *Coast Gards*, où un personnage dit à un moment : "Quand la tempête arrive et que tout le monde rentre au port, les gardes-côtes sortent." C'est exactement ça. »

Et il avait ponctué cette citation d'un rire qui avait détendu les muscles de ses épaules et les rides de son front. J'avais ri aussi, et je l'avais imaginé chez lui avec ses enfants, devant ce film à la télé, à évoquer les sorties au large, le souffle de la tempête et les vagues de neuf mètres qu'il minimisait un peu, qu'il regrettait un peu.

Gabriella raconta : « Vers dix heures du soir on était sur zone mais on n'y voyait rien. Tout était noir. On distinguait seulement dans l'obscurité l'autre vedette qui tournait comme nous en long et en large, et tout au fond le remorqueur de la plate-forme pétrolière, une structure énorme, immense. Tous nos feux de position étaient allumés, les vagues étaient encore très hautes et tout était noir. Noir le ciel, noire la mer. La lune, en revanche, était très grande, très belle. Une lune pleine, africaine. Et puis nous avons fini par les trouver. Ils étaient sur un canot pneumatique. Le plongeur et les membres de l'équipage ont commencé les manœuvres de repêchage. Sauf que tout le monde dans le canot s'était mis à bouger. Ils faisaient de grands gestes, ils voulaient monter tout de suite à bord. Ils s'agitaient. Nous, du CISOM, on part en uniforme : un T-shirt marqué "Médecin" ou "Infirmière CISOM", un pantalon bleu imperméable, des chaussures de sport. Et pour monter sur la vedette, une combinaison blanche en polyuréthane, agréable l'hiver mais pas vraiment l'été. La combinaison a une capuche et je l'avais remontée, puis je m'étais dit que ça pouvait effrayer ces jeunes. Je l'ai rabattue, pour leur montrer aussi que j'étais une femme, et j'ai crié : "*Quiet ! We are here to help you !*" Un des leurs a compris, il a traduit le message et l'a fait passer. Dès qu'ils se sont calmés, on a commencé à les embarquer, un par un. C'étaient tous des hommes, cent quatre dans le même canot. Sur la proue était marqué un numéro, le 3, au feutre. Il devait y en avoir deux autres, quelque part en mer. L'information qu'on avait reçue en signalait trois. On n'a jamais retrouvé les deux autres. »

Paola se versa un peu d'eau.

Je caressais le col de ma bouteille de bière.

Qui sait comment j'aurais réagi aux paroles de Gabriella si j'avais été médecin ?

Qui sait quelles questions mon père lui aurait posées ?

« Il y a quelque chose qui m'a frappé. »

Melo pensait à voix haute, en regardant Cala Pisana là-bas, par la fenêtre.

« Sa première expérience de la mort en mer, elle y a été confrontée à travers une absence, et non une présence. »

Les deux canots qui manquaient.

La mort comme une simple évocation.

Dans la culture occidentale, l'image atteste de la réalité : un événement, une révolution, un décès sont majorés dès lors qu'ils ont été capturés par le regard. Ce qui n'est pas vu se retrouve ainsi affaibli. La culture orale a été remplacée par celle de l'image.

L'invisible, lui, travaille de manière souterraine, on ne le voit pas mais il creuse dans les profondeurs les plus intimes.

L'anticipation de la tragédie se consume dans le silence, avec une absence. Ce manque rend le dessin incomplet, ouvre une fracture. Et c'est dans ce vide même que la mort fait irruption.

« Sur notre vedette, on en a fait monter cinquante-huit, l'autre vedette en a embarqué quarante-six. J'étais à la proue, l'infirmière à la poupe. On les a examinés les uns après les autres. C'étaient des jeunes, le plus vieux avait trente ans au plus, tous étaient pieds nus et complètement trempés. On leur a donné à chacun une couverture de survie. En plus, on avait des *hot-packs*, des paquets qui ressemblent à de la glace sèche mais qui se réchauffent dès qu'on les ouvre. On a distribué tous ceux qu'on avait. Malheureusement, il n'y en avait pas assez pour tout le monde. Ceux qui n'en avaient pas se serraient dans la couverture de survie. Il faisait très froid. L'infirmière et moi nous sommes assurées que chacun de ces garçons allait bien, j'ai parlé un peu avec ceux qui étaient assis contre un des plats-bords de la vedette et je leur ai demandé d'où ils venaient. Mali, Guinée, Gambie, un peu de toute l'Afrique. Ils disaient qu'ils allaient bien, et pourtant ils étaient en mer depuis sept jours et n'avaient rien mangé depuis deux semaines. Je suis allée vers l'autre côté de la vedette, parler avec les autres jeunes. “D'où vous venez ?” Je leur ai montré le pendentif de mon collier, qui représente l'Afrique. Un des jeunes, en le désignant, m'a répondu avec le nom de sa ville, que je ne connaissais pas. Il fallait repartir. Avant de retourner dans la cabine, je leur ai dit en anglais : “Écoutez, le voyage va être un peu long et difficile mais ne vous en faites pas, parce que vous êtes forts, vous y arriverez.” Et je suis entrée dans la cabine. Et puis… »

Elle se mit à pleurer.

Des larmes longtemps retenues.

Elles étaient là, derrière tous ces mots.

Elles en étaient l'ombre.

L'origine du calvaire.

Sous la cendre du temps brûlent les braises du remords.

« On a mis un temps fou pour revenir à Lampedusa. Les heures les plus longues de ma vie. Dehors, il faisait un froid inimaginable, avec des vagues de sept mètres, ces jeunes étaient frigorifiés, et impossible de les prendre en cabine. En plus, les membres de l'équipage continuaient de vomir à l'intérieur. J'ai cherché à me mettre dans un endroit sûr, puisque c'était moi, en tant que médecin, qui devais intervenir si l'état de quelqu'un s'aggravait. Je me rappelle la scène : le portillon de la cabine était encore ouvert et des têtes se sont penchées. Je les ai comptées : dix. Ils voulaient entrer parce qu'ils n'en pouvaient plus d'avoir froid. J'ai demandé aux autres : "Pourquoi on n'en laisse pas entrer au moins quelques-uns ? – Impossible, ça ferait une mutinerie." Le portillon a été refermé. Mais il gelait dehors, il y avait de la pluie, du vent, et je ne sais quoi encore. Les jeunes se sont regroupés pour forcer l'ouverture. Près du portillon, il y en avait un qui n'arrêtait pas de dire qu'il avait été opéré. Il répétait : "*Operated ! Operated !*" Le plongeur et un membre de l'équipage essayaient de refermer sans coincer les mains glissées dans l'entrebâillement. Un des membres de l'équipage s'est mis en colère et leur a hurlé de rester dehors. Ce hurlement, ça m'a bouleversée. Après, en y réfléchissant, j'ai compris que cette colère était une réaction à la frustration de ne pas pouvoir les aider. Nous étions tous dans l'urgence, la situation était très dure. C'était une manière de décharger la tension, contre un système violent dont eux-mêmes étaient victimes. On a réussi à fermer le portillon. Les heures passaient, les membres de l'équipage continuaient à être malades, les vagues nous secouaient en tous sens, dehors le froid était toujours terrible. Le commandant communiqua avec celui de l'autre vedette, qui lui dit qu'ils avaient déjà fait entrer quelques jeunes dans la cabine, à tour de rôle. Notre commandant décida de faire la même chose. On établit des tours et six garçons entrèrent dans la cabine, serrés les uns contre les autres. On ne pouvait pas être plus. Vers trois heures du matin, le machiniste sortit et passa directement par la salle des machines. À son retour, il dit : "Il y a au moins quatre ou cinq morts à la proue." Tout s'est écroulé en moi. J'étais médecin, j'étais là pour les aider et les ramener sains et saufs, et je n'avais rien pu faire pour eux. Le plongeur dit : "Je vais vérifier comment ils vont." Les plongeurs ont dans leur matériel un crochet pour se maintenir attachés à la rambarde, et ne pas être ballottés et éjectés de la vedette. À son retour, il a confirmé qu'il n'y avait rien à faire, ils ne répondaient plus, ils étaient bel et bien morts. Vers deux heures de l'après-midi, le machiniste est venu nous dire qu'il y avait encore d'autres morts. Je me sentais complètement impuissante, inutile. On n'est arrivés à Lampedusa que vers cinq heures de l'après-midi. Vingt-neuf jeunes étaient morts. »

« Pendant le voyage de retour, j'ai constamment essayé de me donner du courage. De rester éveillée. Je buvais de l'eau, et sans vomir, je n'ai jamais vomi de ma vie. Mais ma lucidité était à éclipses. J'étais traversée par des pensées extrêmes. Pour m'encourager, je pensais à un pré vert. Et je me sentais coupable, parce que les autres étaient dehors à souffrir du froid pendant que moi j'essayais de visualiser cette image. J'ai prié du début à la fin. Dès qu'on a jeté l'ancre, j'ai fait appel à toutes les forces qu'il me restait pour me relever. Aussitôt sortie de la cabine, j'ai vu le jeune qui avait crié "*Operated !*" à la renverse sur le pont, la tête près de l'échelle de bord… immobile… à côté de lui, il y en avait d'autres…

plein d'autres… nus, comme dans un film que j'ai vu sur le camp d'Auschwitz, *Le Fils de Saül*… la plupart sans vêtements… le pantalon baissé, le T-shirt relevé… le sexe à l'air… sur le dos ou prostrés… des amoncellements de corps… Un garçon sur la proue a reconnu quelqu'un parmi les cadavres, peut-être un membre de sa famille. En le regardant, il s'est immobilisé et s'est mis à pleurer. Il refusait de s'éloigner de lui. Il avait une expression tellement triste, comme s'il regrettait d'avoir été sauvé. Je suis descendue de la vedette. Sur le môle Favaloro, une collègue médecin est venue vers moi. Je me souviens m'être rendu compte qu'on avait débarqué quand elle a dit mon nom, "Gabriella". Comme si je me réveillais seulement d'un cauchemar. Elle m'a demandé : "Qu'est-ce qui s'est passé ?" Elle me parlait souvent du concept d'Agamben sur la "vie nue". "Regarde, là, voilà la vie nue, toi qui m'en as tant parlé… La voilà, des corps, des corps et des corps." Un responsable du centre d'accueil est venu vers moi pour me réconforter. Je lui ai dit : "Regarde ce qui s'est passé, à ma première sortie en mer…" Ils nous ont accompagnées, l'infirmière et moi, sur un autre bateau, plus grand que la vedette. Ils nous ont fait boire du thé pour récupérer, ça faisait vingt-quatre heures que nous n'avions rien bu de chaud, rien mangé. Je regardais par le hublot les corps sur le quai, recouverts d'une bâche verte. Et j'ai fini par trouver la force de pleurer. »

« Ça ne se passe pas toujours comme ça, si tu parles avec d'autres gens, ils te raconteront des expériences différentes. Je me demande encore pourquoi c'est tombé sur moi. Mais bon, je réfléchis à ça. On en a fait d'autres par la suite, des transbordements. Heureusement tout le monde allait bien… les femmes enceintes… les enfants… tout s'est bien passé… les conditions météo étaient vraiment meilleures. »

« Peu de gens ont compris cette douleur qui reste encore en moi. Vingt-neuf morts. La moitié des cinquante-huit qu'on avait fait monter dans notre vedette. Pas quatre, pas cinq, pas six. Vingt-neuf. Je vis avec cette perte tous les jours. »

*

Sur l'île il s'était créé une de ces pauses bénies pendant lesquelles on n'entend plus le mistral hurler.

« Tout passe, le vent, l'hiver, et les emmerdes aussi, dit Melo.

– C'est beau le bruit du ressac, commentai-je.

– La mer, ça tient toujours compagnie, même quand il fait trop froid pour y nager, ajouta Paola.

– *Minchia*, qu'est-ce qu'on fait là tous à philosopher ? » lança Melo en se vautrant sur le canapé, l'avant-bras sur le front.

L'heure d'aller se coucher approchait.

Les muscles de mon dos, jusqu'alors contractés, se relâchèrent enfin.

« Vous savez, avant de rentrer ici, j'ai parlé un petit peu cet après-midi avec un membre d'équipage des vedettes côtières. Il m'a montré une vidéo tournée à bord avec son téléphone immédiatement après un sauvetage. À la poupe, il y avait des jeunes qu'ils venaient de récupérer, tous des garçons. Une centaine. Il m'a raconté qu'ils les avaient trouvés à l'aube sur le même canot et qu'à leur arrivée ils avaient déjà de l'eau jusqu'en haut des cuisses. Il a dit exactement : encore quelques minutes et on les perdait. La vidéo dure à peu près trente secondes, et ça se termine par une scène qui a quelque chose d'absurde parce qu'on est en pleine mer sur une vedette qui rentre à Lampedusa, qu'à la poupe il y a tous ces garçons qui ont failli mourir, et en fond sonore on entend en prise directe de la musique latino-américaine. Le machiniste était allé dans la cabine de commandement et il avait posé son portable devant l'interphone allumé, qui diffusait la musique sur le pont du bateau. Au milieu du cadre, il y avait, de dos, le type avec qui j'étais en train de parler, et face aux jeunes il improvisait une danse, comme un animateur de club touristique, en bougeant en mesure les bras et les mains, à droite, à gauche, en haut, en bas. Et les jeunes se sont mis à danser eux aussi, à rire et chanter. Ça m'a complètement ému. Il y avait quelque chose de si pur dans cette manifestation de joie. Il les avait fait danser avec tellement de tact, j'en suis resté sans voix. C'est vrai que ceux-là allaient assez bien pour bouger, mais en tout cas ils avaient désespérément besoin de se défouler, de chasser la peur d'avoir risqué la mort à quelques minutes près.

– Ça me fait penser au *picciriddo* dans le conte, qui s'écrie : "Le roi est nu !" dit Paola. On parle des êtres humains sous forme de chiffres et de statistiques, alors qu'une personne, c'est beaucoup plus. Une personne, ça a des espoirs et des inquiétudes, des désirs et des tourments. Taper des pieds en rythme sur un bateau en pleine mer et lever les poings au ciel, non seulement c'est bien, mais c'est profondément humain.

– Et pour une fois, à quelques minutes près, c'est la mort qui a perdu. La Dame noire l'a eu dans l'os », résuma Melo.

Paola alluma une cigarette et posa le briquet debout.

« Tu pars demain ? me demanda-t-elle.

– Oui, je prends le premier vol, celui de six heures vingt du matin. »

Je regardais la mer. Je n'arrivais plus à m'enlever de la tête que quelque part un canot pneumatique venait de partir et qu'une nouvelle bataille allait se livrer, loin des regards, là-bas derrière l'horizon.

Melo se leva du canapé.

« Et un bon petit verre de limoncello pour clore cette journée, qu'est-ce que vous en dites ? Il y a aussi une délicieuse liqueur de fenouil sauvage faite par Paola en personne.

– *Amunì*, je vais prendre ça. »

Melo posa les bouteilles d'alcool sur la table.

« Le fenouil sauvage a été ramassé ici », précisa Melo.

Très peu de plantes poussent à Lampedusa. C'était une valeur ajoutée.

Je m'en versai un peu, sans le boire, le laissant s'acclimater à la température du verre.

Nous restâmes assis, à écouter le bruit du ressac, pendant que la nuit entrait dans la pièce.

*

« Pourquoi tu ne vas pas voir ton oncle ? »

Silvia avait brusquement levé les yeux des *Élégies de Duino* qu'elle lisait pendant que j'étais occupé à nettoyer une seiche.

Je restai figé, le couteau à la main.

« Tu vas toujours à Lampedusa, fais au moins un voyage pour aller le voir, puisque vous vous appelez souvent. Il sera heureux de te voir, et tu seras plus heureux toi aussi. »

La seiche ouverte sur la planche à découper, il ne restait que la poche d'encre à enlever.

« Vous en parlez tous les deux, et tu vois comment organiser tes journées. »

Je posai le couteau et ouvris le robinet pour me rincer les mains. Les mains sous l'eau, je réfléchissais, n'offrant en réponse à Silvia que cette absence de paroles. Me fallait-il d'autres preuves pour me montrer que j'étais comme mon père ?

Silvia comprit la dimension de ce silence.

Il avait des racines profondes, qui s'abreuvaient directement au puits de mes angoisses.

« Qu'est-ce qui t'a empêché, jusqu'à maintenant, d'aller le trouver ? »

Je m'essuyai les mains. Mes narines se dilataient, l'air emplissait ma poitrine, mes mâchoires se serraient.

« J'ai peur. »

Un frisson grimpait le long de mon dos, des reins aux omoplates.

Silvia posa son livre et vint serrer ses bras autour de moi.

« De quoi ? »

La paume de ses mains me caressait la nuque, les yeux, les tempes.

« De lire sur son corps l'annonce de sa mort. »

Elle me déposa un petit baiser dans le cou.

« Si tu ne le vois pas, tu ne le sauras jamais. »

La poche d'encre était toujours là, à l'intérieur de la seiche.

Je donnai un baiser à Silvia, revins à la planche, repris mon couteau.

« C'est vrai. »

Je fis courir la lame sur la chair blanche jusqu'à la glisser sous la membrane qui enferme l'encre.

« Tu veux que je vienne avec toi ? » demanda Silvia, déjà repartie sur le canapé, les poésies de Rilke contre son cœur.

Il fallait maintenant un mouvement sec, une coupure nette, qui ne crève pas la poche.

Un.

Deux.

Trois.

« Oui. »

La poche était enlevée.

« Bonjour mon oncle, comment ça va ?

– Comme les vieux. Tu es toujours à Lampedusa ?

– Non, je suis rentré la semaine dernière.

– Tu écris ?

– Oui.

– Dépêche-toi d'écrire, s'il te plaît, j'ai envie de le lire.

– Bien sûr. Tes examens ?

– J'ai une carence de globules blancs mais qu'elle aille

se faire voir, la tumeur. Je m'entraîne tous les jours, je soulève des haltères et je fais du vélo d'appartement.

– C'est très bien. Papa t'a appelé ?

– Non. Il t'a appelé, toi ?

– Moi non plus. Zéro à zéro, Beppuzzo. Écoute, qu'est-ce que tu dirais si on venait te voir à Reggio, Silvia et moi, à la fin de la semaine ?

– Ça serait magnifique. »

*

Nous étions à Cala Rossa, mon frère Giuseppe, mon père, mon oncle Beppe et moi. Papa ouvrait la marche sur le sentier raide qui descendait entre les rochers jusqu'à la mer. L'oncle Beppe était le dernier de la file. De sa voix tranquille, il nous avait avertis, mon frère et moi : « Les enfants, attention à ne pas tomber. » Et juste à cet instant, vraiment un centième de seconde après, ses pieds dérapèrent, sa claquette droite vola dans les airs et Beppe fit une belle glissade sur les cailloux, avant de disparaître derrière un rocher. Toute l'assemblée, une douzaine de personnes, se mit à rire, y compris mon frère et moi. Même mon père, qui s'était aussitôt retourné pour voir comment il allait, n'arrivait pas à effacer le sourire sur son visage. On vit réapparaître au-dessus du rocher la main de l'oncle Beppe. Son poing lentement fermé changea bientôt de forme : pouce levé, il nous indiquait qu'il était encore vivant. Alors on entendit sa voix : « Tout va bien, les enfants, je n'ai rien. » Enfin, il émergea de ce paysage d'épines et de pierres. Son T-shirt était complètement fichu, sa cuisse droite égratignée tout du long, et une large écorchure marquait l'arrière de sa jambe, de la fesse gauche à la cheville. Quand on le vit se relever, il y eut des applaudissements bien sentis. Mon oncle devint tout rouge et, pour se tirer d'embarras, commença à nous saluer en joignant les trois premiers doigts de la main. On aurait dit le pape. Tous répondirent à cette bénédiction improvisée par un petit salut de la tête, et chacun reprit son petit bonhomme de chemin.

« Tu penses que tu peux descendre ? lui demanda mon père.

– Oui », grogna l'oncle Beppe. Remarquant l'ampleur de la déchirure de son T-shirt, il déclara, sans pouvoir retenir un sourire : « De toute façon il était moche. »

Une fois dans la mer, il nettoya ses blessures à l'eau salée. Il répétait : « *Minchia*, la chute ! », à moi, à mon frère, à mon père, à lui-même, en riant le premier. Ce fut une très belle matinée, pleine de lumière, mon père alla nager au large, l'oncle Beppe surveillait mon frère pour qu'il ne se noie pas et je pêchai trois squelettes d'oursins en plongeant avec le masque. C'était au mois d'août 1981, la voiture familiale était une Panda beige et l'oncle Beppe vivait en Angleterre, où il se spécialisait en néphrologie.

« À l'époque, la néphrologie était la matière médicale qui montait, nous étions des sortes de pionniers quand j'ai décidé de me spécialiser, c'était l'avenir, exactement comme la biologie moléculaire, mon autre passion. J'ai choisi médecine parce que j'étais attiré par les dynamiques du corps. Évidemment, que mon frère soit déjà en quatrième année de médecine a dû peser dans ma décision. C'était comme un panneau de signalisation qui m'indiquait la route à suivre. »

Beppe et moi sommes revenus ensemble à Cala Rossa en 1987. Mon oncle, venu passer les vacances d'été à Palerme – il s'était installé depuis deux ans à Reggio Calabria –, m'y avait accompagné pour une partie de foot. J'étais l'adolescent classique de treize ans : acné, mal-être, arrogance et érections à n'en plus finir. J'étais considéré comme assez fort au foot. Il manquait un joueur à l'équipe adverse, et on demanda à mon oncle de jouer avec nous.

« Si vous jouez, on sera à onze contre onze, *amunì*, vous voulez bien ? »

Il était d'accord. C'était parfait pour moi, mon oncle était nul, il se retrouverait défenseur, c'est ce qu'on fait avec les baltringues, et comme j'étais attaquant, à l'aile gauche, j'allais faire un massacre, le viser systématiquement, le saouler avec mes feintes, marquer une tripotée de buts. L'après-midi s'annonçait fantastique. Je ne voulais pas seulement le battre, je voulais l'humilier.

Je n'oublierai jamais cette rencontre.

L'oncle Beppe fit un grand match. Certes, il était empoté et le resta, mais il fut extraordinairement efficace et imprévisible. Chaque fois que je voulais conclure, il renvoyait la balle, il anticipait mes mouvements, cassait le jeu de notre ligne d'attaque par ses interventions, discutables sur le plan esthétique mais pas sur le plan footballistique. Avec sa démarche en canard et ses lunettes, mon oncle arrêtait tout. Ce zéro à zéro conforté par sa prestation remarquable ne cessait d'augmenter ma nervosité. Vers la fin de la première mi-temps, quand le résultat semblait cloué comme Jésus en croix, l'impensable arriva. L'oncle Beppe se retrouva la balle au pied, mon équipe tout entière lancée en attaque. Sans même réfléchir, il envoya le ballon le plus loin possible. Shootant au jugé, complètement au pif, sans un regard pour le terrain, pour ses adversaires, pour l'été. Et ce shoot ni fait ni à faire se transforma en passe décisive qui loba notre défenseur et fut reprise par leur attaquant central, lequel, d'un tir à contre-pied, à ras de terre, transperça nos filets. Un pour eux, zéro pour nous. Je balançais entre déprime et incompréhension. L'oncle Beppe riait, répétant à ceux de son équipe qui lui faisaient fête : « Je ne sais même pas comment j'ai fait. » Le quart d'heure de la mi-temps fut interminable. Je sentais les secondes s'égrener. Chacune était une épine plantée dans mon orgueil. J'avais hâte de revenir sur le terrain. Il fallait que je l'anéantisse. Impossible de perdre contre une nullité pareille. Le roi de l'été 87, il fallait que ce soit moi. Mais dès la reprise, pas moyen d'inverser le cours des choses : ma prestation continuait d'être un désastre. Mon oncle me battait dans toutes les zones du jeu. Et pourtant j'étais fort, tout le monde le savait. « Davidù, avec la balle, c'est un pro », disait-on de moi. Mais ce jour-là, la balle m'était hostile. Je ratais mes contrôles, je finissais hors jeu, mes frappes étaient chaque fois anticipées par mon oncle et je restais en dehors de la partie. La colère en moi le disputait à la frustration. Dans un moment de fatigue, leur milieu de terrain, pour reprendrc souffle, fit une passe arrière, envoyant précisément la balle dans les pieds de mon oncle. L'espace d'un éclair, je lus la terreur dans ses yeux. Il savait que j'allais fondre sur le ballon tel un faucon, l'escamoter par la magie de mon gauche et voler vers la gloire d'un but à contre-pied. Et ce serait sa faute. Il était fichu, mes griffes, grandes ouvertes. Quand il eut le ballon dans les pieds, Beppuzzo, pris de panique, trébucha dessus et se retrouva par terre. Le terrain était ouvert pour le faucon et la balle en cuir. J'allais m'emparer du ballon, passer le gardien qui était sorti et marquer le but d'égalité. Bon Dieu, vous alliez voir ça, une journée magique. Tous me traiteraient avec honneur et respect. Je poussai mes jambes au maximum de leur vitesse. L'oncle Beppe, tentant de réparer le désastre, glissa sa jambe tendue. Il n'arriverait jamais à toucher le ballon. J'étais plus rapide. Plus technique. Plus fort. La balle était à moi. Je tendis le pied et – je me demande encore aujourd'hui comment c'est arrivé – je shootai dans le vide. Le bout de ma chaussure frappa l'air. L'oncle Beppe, au sol, avait touché la balle avant moi. À un centimètre près, pas plus, mais un centimètre qui tua dans l'œuf mon règne sur l'été. Mon cœur se glaça. Hélas pour moi, ce n'était pas fini. Une défaite peut toujours virer en dérouillée mémorable sans circonstances atténuantes. Il suffit de penser au pire, et le pire arrive. En 1987, le pire arriva. L'oncle Beppe n'arrêta pas seulement mon contre-pied. Par cette misérable frappe, il accomplit ce qui est le comble de l'humiliation pour n'importe qui sur un terrain de football : il me fit un petit-pont. À moi. À son neveu préféré. À l'espoir du football classe 1974. Mes jambes furent impuissantes à bloquer le rebond provocateur de la balle, qui passa tranquillement entre mes chevilles. J'étais devenu un tunnel. Le petit-pont était parfait, et le ballon se retrouva trois mètres derrière moi. L'équipe adverse en rugissait de joie. Je n'arrivais pas à y croire. Mes oreilles s'enflammèrent de honte. Comme footballeur, j'étais fini. Faillite totale du jeune espoir. Je montrai alors le pire de moi-même. Pris d'une crise d'hystérie, maudissant le sort et la terre battue qui avait faussé les déplacements de la balle, je quittai le terrain, en plantant là mon équipe sur un score négatif. Sans saluer personne, je fonçai vers la mer. Je crois que mon plan était de nager jusqu'à l'horizon, vers Naples ou la Ligurie. L'oncle Beppe marchait derrière moi. Je le savais. J'entendais son pas lourdaud soulever la terre, déplacer les cailloux. Sur un rocher, j'attendis. Au fond, j'aurais préféré rentrer à Palerme avec lui. Quand il m'eut rejoint, il resta accroupi une minute entière en silence derrière moi. Puis il parla :

« Quel homme tu veux devenir quand tu seras grand ? » dit-il en préambule.

« C'est aujourd'hui que tu choisis le genre d'homme que tu veux être. »

Sa voix était douce.

Je m'entêtais dans mon silence. Je m'étais mal comporté, je le savais bien. L'humiliation m'écorchait vif.

« Tu dois choisir ce que tu veux devenir, Davidù, être un homme ou un *quaquaraquà*. »

Plus tard, quand je lus *Le Jour de la chouette* de Sciascia et que j'y retrouvai ce mot de *quaquaraquà*[1], mon

1. Un « coin-coin », dans les traductions françaises de Sciascia.

cœur fondit. L'oncle Beppe avait utilisé le mot inventé par son écrivain préféré.

« Réponds-moi, s'il te plaît. »

Je balbutiai : « Un homme. » La bouche entre les genoux. Le seul moyen que j'avais trouvé pour ne pas éclater en sanglots.

« Si tu veux être un homme, commence par te comporter comme un homme, et tout de suite. »

Il se redressa : « J'y retourne. » Il me caressa la tête, et remonta. Je lançai un dernier regard à la mer. Les yeux brouillés par les larmes, je serrais les dents pour m'empêcher de pleurer. Je revins sur le terrain au pas de course. Ça jouait toujours, il restait un quart d'heure. Nous pouvions encore égaliser, et même, pourquoi pas, gagner. Je jouai très mal. À la dernière minute de la rencontre, cette journée déjà incroyable devint légendaire. Sur un corner et un ballon écarté par notre défense, l'oncle Beppe tenta un cross puis dessina dans l'air une trajectoire biscornue qui traversa toute notre surface pour aller s'enfiler dans l'angle de notre lucarne.

Il avait fait un doublé.

Deux à zéro.

Son équipe le porta en triomphe.

Embarrassé, mon oncle riait.

« *Minchia*, les enfants, c'est les premiers buts de ma vie ! »

*

L'oncle Beppe était venu nous chercher à la gare. Sa femme, la tante Silvana, était en déplacement, à Gerace, sur un nouveau site archéologique qui allait être bientôt inauguré. Elle, l'archéologue, se battait contre les derniers petits obstacles. Elle serait là pour le dîner.

En nous voyant, mon oncle et moi, nous nous sommes étreints longuement.

« Vous étiez adorables, me confia plus tard Silvia. C'est rare de voir deux hommes se prendre comme ça dans les bras, surtout dans le Sud. »

Il avait maigri et portait une casquette de base-ball, la chimio lui avait fait perdre ses cheveux.

« De toute façon, t'en avais pas beaucoup à perdre.

– Salaud. »

Et il m'étreignit encore plus fort. Je sentais ses doigts me triturer la chair, avec force, comme on s'accroche à un rocher pour ne pas être emporté par le courant.

Chez lui, il nous montra aussitôt son bureau, où il avait fait installer un vélo d'appartement et un tapis de course. Éparpillées sur le sol, de petites haltères multicolores.

« C'est ici que je m'entraîne. Et que le cancer aille se faire foutre. »

Il riait, à la manière des enfants qui viennent de jouer un bon tour.

Dehors, sur le grand balcon qui faisait le tour de l'appartement, il nous emmena voir sa plante préférée, un frangipanier.

« Regarde ces fleurs ! Et hors saison, en plus. »

Il était très fier.

« C'est mon oncle Rocco qui me l'a offert, il y a bien longtemps. Il fleurit sans arrêt. C'est vraiment une plante incroyable. »

Il nous regardait, guettant notre approbation.

« Oui, il est magnifique », répondit Silvia en touchant du bout des doigts les pétales blancs de la fleur.

« Tu sais, Daviduzzo, je me rends compte avec cette maladie combien c'est essentiel d'écouter, pour un médecin. Même aveugle, je pourrais continuer d'exercer, mais crois-moi, je ne pourrais plus travailler si je devenais sourd. »

Il me fixait de ses grands yeux bienveillants. Noirs et sérieux, ils inspiraient confiance.

« Écouter, c'est ce qui compte », répéta-t-il pour lui-même. Il leva les mains devant lui et les frotta doucement l'une contre l'autre, comme s'il avait besoin de cette caresse et de cette chaleur pour parler. Sa respiration s'était intensifiée, sa pupille resserrée. Il s'apprêtait à dire quelque chose de douloureux, et prenait les attitudes corporelles de son frère, et les miennes : trois êtres distincts dont le vocabulaire corporel était étonnamment identique.

« Mon hématologue ne m'écoute pas. Je lui dis : mon corps est fatigué, je sens qu'il me dit quelque chose. Mais elle n'écoute pas, elle regarde les analyses et elle sait déjà ce qu'elle va me prescrire. Elle a peut-être raison, elle a sûrement raison, n'empêche qu'elle ne m'écoute pas. »

La médecine est une matière qui agit sur le corps, qui est la mesure de notre présence terrestre. C'est dans la chair que la maladie se développe. Mais il reste toujours, même pendant le traitement, la part immatérielle de l'être humain. Et si on ne l'alimente pas, même un peu, c'est le vide.

Demander de l'aide, sans être entendu.
Se sentir incompris.
Vivre seul dans une pièce obscure.
C'est ce que tu ressens, mon oncle, quand la douleur te transperce ?

Un médiateur social qui avait travaillé au centre d'accueil m'avait parlé de ce gamin débarqué depuis trois jours, qui n'avait répondu à aucune des questions qu'on pose toujours à l'arrivée au centre : il n'avait dit ni son nom, ni d'où il venait, ni son âge. Il semblait terriblement angoissé. Il ne dormait pas, ne mangeait pas, ne parlait avec personne. Toute la journée, il restait assis contre le mur, la tête dans les mains. Ils n'étaient que deux médiateurs à ce moment-là et n'arrivaient pas à s'occuper de tout le monde : depuis deux semaines, cent cinquante personnes en moyenne débarquaient toutes les trente-six heures, et ils avaient eu trois fois des pointes à plus de cinq cents. Le quatrième jour, le garçon disparut. Le médiateur supposa qu'il était sorti par le trou. C'était normal. Il le retrouva l'après-midi devant le parvis de l'église. Il s'approcha et tenta à nouveau de parler avec lui, lui demanda son nom et son pays. Cette fois encore le garçon ne répondit pas. Le médiateur changea de stratégie, ils étaient seuls et ils avaient le temps. Il lui demanda s'il comprenait l'anglais. Le gamin acquiesça vaguement. Déjà une première communication établie. Il lui demanda alors ce qu'il voudrait le plus au monde à cet instant et promit qu'il essaierait de l'aider pour l'obtenir. « Je veux téléphoner chez moi, dit le garçon, je veux dire à ma maman que je suis vivant. » Ils ne s'étaient plus parlé depuis son départ huit mois plus tôt. Ce garçon avait douze ans.

L'oncle Beppe regardait ses mains passer lentement l'une sur l'autre. La caresse avait le rythme de sa respiration.

« Je me suis toujours obligé à regarder les patients dans les yeux. Aujourd'hui on n'a plus qu'une relation indirecte : le médecin, pour accélérer la procédure, est toujours le nez sur son clavier pour taper les informations que le patient lui donne. Soixante-dix pour cent du temps que le médecin consacre à une visite consistent pour lui à regarder un écran. Beaucoup de médecins n'ont pas encore pris conscience de ça. Moi, même si ce n'est pas indispensable, j'examine toujours le patient à l'ancienne : je l'écoute au stéthoscope, je prends sa tension – alors que bien souvent ce sont des infirmiers qui s'en chargent –, j'établis le contact physique entre médecin et patient qui est essentiel. Beaucoup s'en aperçoivent et me disent : "Docteur, vous savez depuis quand on ne m'avait pas examiné comme ça ? C'est bien, c'est comme dans le temps !" Et ça me permet de parler avec eux. De poser des questions et d'écouter les réponses, d'établir une relation. »

Une phrase gentille, une poignée de main, une oreille qui écoute le trop-plein qui s'y déverse. C'est de cette façon-là aussi qu'on guérit.

Nous avions passé ces deux jours à Reggio Calabria chez lui, à part une courte promenade à deux sur le front de mer pour prendre une glace. Mon oncle me répéta la phrase qu'il disait toujours : « Nous, ici, on dit que c'est le plus beau kilomètre d'Italie, et tu sais pourquoi ? Parce qu'on voit la Sicile. » Elle était face à nous, inquiète et majestueuse, notre Sicile. Nous avions toujours été liés par un attachement ardent, archaïque à l'île mère. Un frémissement du corps, une palpitation plus profonde, la certitude d'être, partout dans le monde, des îliens. Une particularité qui rend frères même ceux qui ne sont pas du même sang.

Il ne manquait plus que mon père pour que tout soit parfait.

« C'est arrivé une nuit. Je me suis réveillé avec une inflammation du dos, apparemment un problème de lombaires. Ça me brûlait. Le lendemain, je suis allé faire des examens. La réponse a été impitoyable. Des ganglions lymphatiques qui faisaient compression, un lymphome. Parfois mes globules blancs chutent. Les médicaments qu'ils me prescrivent pour les faire monter sont très puissants. Mais je m'entraîne tous les jours. Vélo, haltères, tapis de course. Venez, on va arroser le frangipanier. »

*

« Est-ce que tu as rencontré des gamins qui sont arrivés à Lampedusa ? »

Tôt le matin, il s'était assis sur le canapé et n'en avait plus bougé. De temps en temps, il contrôlait sa température. Il regardait le thermomètre puis me demandait de vérifier, au cas où ses yeux se seraient trompés. Elle était constante : trente-cinq sept. Une ou deux fois, il le demanda aussi à Silvia. « Elle y voit mieux que toi », disait-il en riant.

« Oui, j'en ai rencontré.

– Pauvres gamins, quelle expérience terrible ça a dû être. »

Il se plongea dans un silence pensif, balançant la tête d'avant en arrière, les yeux fermés, écoutant avec une concentration absolue.

C'était la troisième fois que Bemnet se retrouvait à Lampedusa.

Les deux derniers voyages, il était venu en avion.

Revenu.

La première fois, c'était après un naufrage.

Il était en compagnie d'un couple, Denise et Peter, qu'il avait connus en Suisse en 2011, alors qu'il dormait dans un ancien refuge aérien qui hébergeait des réfugiés. Denise avait compris aussitôt combien ce garçon était perturbé et l'avait aidé à entreprendre un parcours thérapeutique avec une psychologue, pour qu'il parvienne à affronter ce qu'il avait vécu.

Bemnet me dit : « Lampedusa, c'est chez moi, c'est là que je suis né une deuxième fois. »

Il avait fui l'Érythrée le 13 décembre 2008 pour échapper au service militaire obligatoire, dont la durée est indéterminée. Sa mère et les autres habitants du village avaient rassemblé une somme importante, espérant que cela suffirait pour lui permettre d'arriver en Europe.

Il avait tout quitté : sa famille, sa maison, ses amis, les objets familiers, les visages, son horizon. Il était parti en sachant qu'il ne les reverrait pas.

Il n'avait pas encore dix-sept ans.

Quand je le rencontrai, sur une plage de l'île des Conigli, il mangeait une pomme. Il adorait les pommes. Avant de partir, il en avait mangé seulement une fois, à douze ans, quand sa mère était allée à Asmara lui en acheter une au marché.

Parti d'Érythrée, il avait rejoint la frontière avec le Soudan. Pour traverser le Sahara, les trafiquants avaient chargé tout le monde dans des Jeep. Un parcours à étapes. À chaque arrêt, il fallait encore payer. On continuait aussi longtemps qu'on avait de l'argent. Ceux qui n'en avaient plus, on les abandonnait dans le désert.

Le Sahara est comme la Méditerranée, empli des ossements de ceux qui ont tenté de le traverser pour s'enfuir. Ceux qui n'ont pas d'argent affrontent le désert à pied, armés de leurs seuls vêtements et d'une bouteille d'eau qui s'épuise forcément trop vite. On avance en groupe. Et comme une mosaïque qui s'effrite, on perd des morceaux en route. Les rares qui ont réussi à franchir le désert à pied disent que c'est un voyage silencieux, le groupe est composé d'inconnus, on y parle des langues différentes, et il faut économiser sa salive. Des processions qui renferment un vaste échantillon d'humanité, des gens de tous âges et de toutes conditions. Quand l'un tombe, s'il est vivant, on l'aide à se relever. S'il est mort, on prend son argent, au cas où il en aurait caché sur lui, ses chaussures si elles sont en meilleur état que celles qu'on porte, ses vêtements, parce qu'une chemise enroulée sur la tête peut mieux protéger du soleil, ou sa ceinture, qu'on vendra en Libye pour récolter l'argent de la traversée. Les cadavres nus restent sur le sable.

Après des semaines de Sahara, quand ils arrivèrent en Libye, Bemnet n'avait plus d'argent. Il ne pouvait plus se permettre d'acheter une place sur un bateau. Il resta enfermé des mois durant dans un appartement d'où il ne pouvait pas sortir. Trois chambres à coucher, une petite cuisine, des toilettes. Une quarantaine de mètres carrés en tout. Dans sa chambre, ils dormaient à sept, dix, parfois quinze, tous des hommes. Il mangeait ce que les autres lui donnaient. L'appartement n'avait qu'une fenêtre, qui était dans l'autre chambre, plus grande, mais elle donnait sur un mur.

Les passeurs durent comprendre que Bemnet n'aurait jamais l'argent pour la traversée. Ils auraient pu le tuer, mais sans aucune raison, comme ça, ils décidèrent de l'embarquer quand même.

Le canot pneumatique partit d'une plage de Libye le 29 juillet 2009.

Ils étaient quatre-vingts pour un seul canot.

Maintenant, ils se connaissaient tous plus ou moins.

« On était comme une famille. Très vite, il n'y a plus eu d'essence. On était quelque part au large, poussés par un courant vers on ne savait où. Le canot a dérivé pendant trois jours. Plus d'eau, plus rien à manger. Le soleil était une torture. Plusieurs fois, on s'est mouillé la tête et le corps à l'eau de mer. C'était comme si notre chair prenait feu. La peau brûlait. La tête était prête à exploser. »

Certains, par-dessus les boudins pneumatiques, essayaient de ramer avec les bras. D'autres descendirent à l'eau tenter de tirer le canot à la nage.

Un homme dans les quarante ans conseilla à Bemnet de ne pas se mettre à l'eau, de ne pas ramer avec les bras, de rester sans bouger, de rassembler toute son énergie, de ne pas gaspiller ses forces.

Ça ressemblait à un ordre.

Bemnet décida de le suivre.

L'un d'eux avait la gorge tellement sèche qu'il toussa du sang.

Un autre encore, égaré par la soif, but de l'eau de mer.

Il y eut les premiers haut-le-cœur, puis les premiers vomissements, dans le canot ou dans la mer.

Il y eut les premiers cas d'hallucinations et les premiers évanouissements.

« Pour pas mourir, on a commencé à boire notre pisse. On la mettait dans une bouteille, un bidon ou un sac en plastique. On la gardait et on se la partageait. »

Ils ne réussirent jamais à la refroidir, même en plongeant la bouteille dans l'eau entrée dans le canot. Rien à faire. L'urine restait chaude.

« Et puis certains ont commencé à mourir. »

Si quelqu'un ne bougeait plus depuis des heures, on le secouait énergiquement, pendant plusieurs minutes. Il fallait savoir s'il était mort ou simplement évanoui. Ceux qui ne réagissaient pas, on les étendait délicatement sur la mer.

Commencèrent les prières et les exercices mentaux pour ne pas oublier les noms de ceux qui n'y étaient pas arrivés.

Plusieurs récits livrent le même témoignage : celui qui se noie, souvent, crie son nom aux autres, qu'il ait été jeté à l'eau vivant par les passeurs, ou précipité en mer par une vague prise de travers. Avant de se noyer, on crie son nom.

« Pourquoi ?

– Sûrement pour ne pas qu'on l'oublie. Et pour qu'à la maison sa famille et les gens du village sachent que lui, qui s'appelle Untel, ne s'en est pas sorti, qu'il est mort en mer. Comme ça, ils ne chercheront pas à le retrouver et au moins ils seront libérés de cette angoisse. »

« Dans le canot, on a eu des hallucinations. On avait perdu le compte des jours et le compte des morts. Aucun bateau pour nous sauver. J'étais paralysé à partir de la ceinture, je ne sentais plus mes jambes. Le soleil était trop fort. Je n'avais même pas la force de tremper la main dans l'eau pour me mouiller la tête. Je connaissais tout le monde dans le canot, mais je me sentais désespérément seul. Les derniers morts restaient dans le canot. Les cadavres commençaient à gonfler. Leur corps se déformait. Leur peau éclatait. On ne comprenait plus rien à rien. Combien étaient morts ? Qui était encore vivant ? Sûrement beaucoup de morts, la moitié peut-être, puisqu'on arrivait à allonger les jambes. S'il y avait de la place, c'était qu'il y avait moins de corps. Non ? »

Il fit deux rêves. Dans le premier, il était dans un cercueil et autour de lui, debout, habillés en sorciers et en prêtres, il y avait les hommes de son village, dont son père, qui le regardaient, mais lui, serré dans le cercueil, il n'arrivait pas à ouvrir les yeux. Il s'efforçait de soulever les paupières mais en vain. Pourtant, malgré les yeux fermés de son fils, son père, et lui seul, savait, d'une manière secrète et mystérieuse, qu'il était encore vivant.

Dans le second rêve, il était avec ses copains dans une barque qui passait près d'un village, un peu en hauteur par rapport à eux. Mais le courant était si fort qu'il continuait de pousser la barque, et le village s'éloignait de plus en plus.

Un jour, un bateau arriva.

« C'était une vedette côtière maltaise. Ils nous ont accostés, nous ont lancé de l'eau, des galettes, un bidon d'essence, et ils se sont éloignés. Personne n'est monté à bord. Je me suis demandé pendant des années pourquoi ils étaient repartis aussi vite, pourquoi ils avaient fait ça. Et à force d'y penser, j'ai trouvé la réponse : c'était l'odeur des cadavres en décomposition. »

Cela faisait dix-huit jours qu'ils étaient en mer.

Ils mangèrent et burent une partie de ce qu'on leur avait lancé, mirent l'essence dans le réservoir, déposèrent les morts sur l'eau, démarrèrent.

Mais les Maltais n'avaient pas disparu. Ils naviguaient à distance, restant en vue. Ils les escortèrent jusqu'aux eaux territoriales italiennes, puis s'éloignèrent pour de bon.

Ils étaient de nouveau seuls.

D'autres journées s'écoulèrent.

« Une fois de plus on allait manquer d'eau. Pas de terre ferme à l'horizon, et malgré nous nos forces quittaient notre corps. »

Ils vécurent encore trois jours à la dérive. Enfin arrivèrent les gardes-côtes italiens. Ils les secoururent, les firent monter à bord et les débarquèrent à Lampedusa.

« J'ai touché terre le 20 août. Ce jour-là, c'est mon deuxième anniversaire. Ici, je suis né pour la deuxième fois. »

Vingt et un jours en mer.

Ils étaient partis à quatre-vingts.

Soixante-quinze moururent.

« Je ne sais pas comment j'ai survécu. Je suis l'un des cinq derniers à avoir vu les autres vivants et pourtant, si je rentrais au village, je ne saurais même pas raconter leur mort. J'avais seulement dix-sept ans. »

Il désigna la mer.
« Mes copains sont tous là-bas. »
Et n'ajouta rien.

*

Ce n'était pas encore l'heure du déjeuner. La Sicile était en face du canapé où Beppe s'était assis pour m'écouter. Encadrée par la fenêtre, elle était comme un reposoir. La divinité bienveillante à laquelle s'en remettre.

« Je vais m'étendre un peu », dit-il. Silvia l'aida à se relever. Je le vis s'éloigner dans le couloir, s'appuyant au mur. Pas après pas, il devenait de plus en plus petit, jusqu'au moment où il arriva devant la chambre à coucher, ouvrit la porte et entra, sans refermer.

« Comment tu te sens ? » me demanda Silvia en me passant la main dans les cheveux.

« Mon oncle est fatigué » fut tout ce que je parvins à lui répondre.

Tante Silvana avait téléphoné pour dire que nous devions dîner sans elle, bloquée à Soriano Calabro pour inspecter un nouveau musée sur le point d'ouvrir une exposition.

« Avec ce travail, elle est souvent partie », constata l'oncle Beppe. Il mangea très peu, quelques feuilles de salade, une minuscule bouchée de thon, pas de pain. Il se versait de l'eau de la main droite, replaçait la bouteille où il l'avait prise, comme si c'était le seul endroit possible sur la table, prenait le verre, toujours de la main droite, buvait à petites gorgées. Chacun de ses mouvements disait sa fatigue.

« Tu veux te reposer un peu ? »

Il avait dormi presque tout l'après-midi.

« Tu sais, Daviduzzo, si ce que j'ai en ce moment avait été un carcinome, comme la première tumeur que j'ai eue, tu ne m'aurais pas revu.

– Alors que tu es là, prêt à te battre et à soulever des haltères. À mon avis, ils vont t'appeler pour les prochains Jeux olympiques ! »

Il esquissa un sourire, vite éteint sur ses lèvres.

« Je suis un peu fatigué. »

Il tint à se lever seul, se dirigea vers sa chambre, s'étendit sur le lit tout habillé.

« Tu as compris ce qu'il vient de te dire ? me demanda Silvia.

– Il sent son énergie qui s'en va, mais demain, après la chimio, il ira mieux.

– Non, ce n'est pas ça qu'il t'a dit. »

Je savais qu'elle allait poser la grande question, la question définitive. Il s'agissait pour moi de ne pas aller au tapis.

« À ton avis, pourquoi ton oncle te dit toujours de te dépêcher de l'écrire, ce livre ? »

Je pris une profonde respiration. Je me sentais les épaules lourdes, la tête lourde, les idées lourdes.

Je me levai de table.

« J'ai compris, dis-je.

– Où vas-tu ?
– Je sors, j'ai un coup de fil à passer. »

La Sicile était là, devant moi, sombre silhouette diluée dans la nuit. Elle brillait de lumières, comme de petits feux témoignant qu'elle était habitée depuis des millénaires. Sciascia disait que les côtes et les plages ouvertes de l'île, où l'on peut aborder, révèlent ce qui est déterminant dans sa vie et son histoire : l'insécurité.

« Bonsoir papa. »

Silvia m'avait donné son interprétation de ce que Beppe nous avait dit, à propos de son médecin qui ne l'écoutait pas. C'était comme l'appel d'un enfant effrayé qui veut ses parents près de lui, ou son grand frère.

« Je suis à Reggio, chez l'oncle Beppe. »

Beppe, comme mon père, était médecin. Il savait ce que c'était qu'un lymphome. Ce doit être un cauchemar de savoir exactement ce que la maladie fait au corps. De comprendre la signification des lézardes. Savoir à quelle vitesse se fait l'effritement. Deviner l'ampleur de la dérive.

« Il est fatigué, papa. Demain il a une chimio. Il a baissé. »

Même si je l'avais nié jusque-là, mon oncle allait en mourir. Et il le savait. Mon père aussi le savait. Leurs connaissances en médecine les empêchaient de se mentir.

Dans le silence, entre un mot et un autre, la mort s'était glissée, point d'abordage concret.

« Papa, tu dois l'appeler, tu dois l'appeler plus souvent, il a besoin de toi, d'entendre ta voix, il a besoin de ta présence. »

Au loin, les lumières de la Sicile tremblaient, comme un appel au secours qui craint de s'égarer dans les replis de la nuit.

Mes nerfs entraient dans l'hiver.
Les branches succombaient sous le vent de l'angoisse, la parole de leurs feuilles s'envolait.
Arrachées, elles se recroquevillaient, s'émiettaient, disparaissaient.
Le squelette de mon arbre avait perdu leur voix.
Il n'y avait plus d'espoir que dans les racines.
Il fallait qu'elles soient encore plus profondes que je ne les voyais.
Plus solides que je n'imaginais.
Je ne pouvais rien faire de plus.
L'ancre qui me sauverait était sous terre.

Je rentrai et m'abandonnai à l'étreinte de Silvia. Sur le canapé, je posai la tête sur ses cuisses. Je fermai les yeux, tandis que ses mains parcouraient les lignes de mon visage comme pour en apprendre les formes et les garder au bout de ses doigts.

Quelques minutes plus tard, l'oncle Beppe apparut dans le salon.

Il était ragaillardi.

« Mon frère m'a appelé !

– Qui ça ? Mon père ?

– Oui ! »

C'était le moment de jouer mon rôle.

« C'est pas vrai ?

– Je te jure. »

Le jouer jusqu'au bout.

« Beppe, je te crois pas.

– Si, c'était Francesco, au téléphone. »

Il rayonnait. Il était si heureux qu'il avait déjà commencé le décompte intérieur des jours qui le séparaient de son prochain appel.

« Un à zéro pour moi ! » dit-il, et il riait et parcourait le salon en s'appuyant aux murs et aux chaises, pendant que j'affichais des grimaces de désappointement et que Silvia, qui avait compris, souriait, les yeux pleins de larmes.

*

Le lendemain de ma rencontre avec le samouraï, je me levai avant l'aube, à cinq heures moins le quart. Mon avion était à six heures vingt.

Dans la nuit en suspens, le ressac était lointain, presque imperceptible. Lampedusa semblait s'être retirée dans un ailleurs éloigné de la clameur des médias et des projecteurs. Le silence était beau et puissant.

Les bouteilles d'alcool de la veille étaient restées sur la table, le limoncello et le fenouil sauvage.

Melo entra dans la cuisine. Il s'était levé tôt, comme à son habitude. Sans un mot, il fit machinalement les gestes quotidiens : ouvrir la petite armoire, attraper la cafetière, l'emplir de café, la poser sur le feu, s'appuyer à la hotte, se rendormir, se réveiller au gargouillement du café qui monte.

Il prit deux tasses, versa le café et me demanda d'une voix encore empâtée de sommeil si je voulais du sucre.

« *Nonsi, amaro 'u pigghio*[1]. »

Il sucra le sien, et porta un café à Paola au lit. À son retour quelques secondes plus tard, il était réveillé. Son temps de métabolisation de la caféine était prodigieux. Il sautillait dans la cuisine, rinçait les assiettes, sifflait affreusement faux une chanson de Domenico Modugno. Sa voix était claire, présente.

« Ton père était chef de service, non ?

– Oui, en cardiologie. »

Il se mit à essuyer la vaisselle.

« Et il était comment avec les médecins, les infirmiers ?

– Il a toujours pris leur défense. Autant que je puisse me souvenir, c'était le sujet des très rares disputes entre mon père et ma mère à table. Bon, pas vraiment des disputes, puisqu'ils étaient d'accord. Maintenant que j'y pense, ce sont les monologues les plus longs de sa part que j'aie entendus. Il parlait de la fatigue qui s'accumulait dans son service, pour le corps médical comme pour le corps infirmier. Et il disait que malheureusement plus la charge de travail augmentait, et c'était souvent énorme, puisqu'ils étaient en sous-effectif par rapport au nombre de patients, et plus le risque d'erreur augmentait. Que le système tout entier, géré par des incapables et des corrompus, mettait tout le monde en danger, aussi bien les patients que le personnel. »

Melo mit le lait à chauffer, puis s'occupa de ramasser le linge étendu. Il avait séché mais restait humide. L'air marin, ça ne pardonne pas.

---

1. « Non, je le prends sans sucre. »

« Je te le demande parce que ça m'intriguait.

– Quoi ?

– Au fond, les réponses que tu viens chercher ici, tu les avais déjà chez toi.

– C'est-à-dire ? »

Il commença à plier le linge.

« Le travail de ton père, comme je le vois – et pour ce que j'en sais –, n'était pas tellement différent de celui que fait le commandant de la capitainerie du port, si tu veux. C'est peut-être aussi pour ça que tu t'es attaché à cette histoire : je crois qu'on peut faire un parallèle entre la garde côtière et la garde médicale. »

Paola venait de se lever. Elle donna un baiser à Melo, me salua d'un rapide signe de tête, s'assit à la table et commença son petit déjeuner par une part de la tarte aux pommes cuite la veille.

« Pas la peine que tu viennes toi aussi à l'aéroport, Paola.

– Melo ne va pas t'accompagner, marmonna-t-elle.

– Ah bon ?

– Non, c'est pas mon truc de conduire aussi tôt », répondit Melo, qui venait de finir de plier le linge.

« Je sors photographier le lever du soleil », dit-il. Et il disparut.

Paola s'était versé du lait chaud, qu'elle buvait à petites gorgées, le bol tenu des deux mains près de son visage, comme si c'était la seule source de chaleur au monde.

Elle alluma sa première cigarette et parla à mi-voix.

« Ce qui se passe aujourd'hui à Lampedusa, et qui se passe depuis vingt-cinq ans maintenant, c'est comme un accident de la route qui n'aurait jamais de fin. Il y a les survivants, les morts et les blessés, et moi qui habite la maison qui donne sur la route de l'accident, j'ai les journalistes qui frappent à ma porte et me posent des questions. Mais ce n'est pas moi qu'il faudrait interviewer, c'est les gens qui ont subi l'accident, c'est eux qu'il faut écouter, moi j'habite ici par hasard, eux ont traversé des aventures terribles pour venir ici. On peut leur donner les premiers secours, des biscuits, de l'eau, du thé chaud, et faire tout notre possible pour qu'ils puissent continuer leur voyage. Mais eux, qui sont les vrais personnages de cette histoire, il faudrait les écouter si on voulait comprendre toutes les raisons de cet exode de masse. Au lieu de ça, on les enferme dans des centres d'accueil et on fait le silence sur leurs motivations et sur leurs droits. »

Elle se versa du limoncello, éteignit sa cigarette et remplit aussi mon verre.

« Au fond, c'est encore la nuit », dit-elle.

Nous trinquâmes en silence à quelque chose qui était plus grand que nous.

Il y aura une épopée de Lampedusa. Des centaines de milliers de personnes ont transité par cette île. Il manque encore une pièce dans la mosaïque, aujourd'hui : l'histoire de ceux qui migrent. Nous n'avons pas les paroles pour dire leur vérité. Nous pouvons nommer la frontière, le moment de la rencontre, montrer des documentaires sur les corps des vivants et des morts. Raconter les mains qui soignent, et celles qui érigent des barbelés. Mais l'histoire de cette migration, c'est eux qui nous la raconteront, ceux qui sont partis pour aborder sur nos rivages, à un prix qu'on n'imagine même pas. Il faudra des années. Ce n'est qu'une question de temps, mais c'est eux qui nous expliqueront leurs itinéraires et leurs désirs, qui nous diront les noms de ceux que les trafiquants d'êtres humains ont massacrés dans le désert, et la quantité de viols à laquelle une très jeune fille peut survivre pendant vingt-quatre heures. Eux qui nous diront le prix exact d'une vie sous ces latitudes. Ils feront le récit, pour nous et pour eux-mêmes, des prisons libyennes et des coups reçus à toute heure du jour et de la nuit, de la mer aperçue soudain, après des jours et des jours de marche forcée, du silence qui tombe quand le sirocco se lève et qu'on est cinq cents sur un bateau de pêche de vingt mètres où l'eau monte peu à peu depuis des heures. C'est eux qui auront les mots pour décrire ce que veut dire aborder sur la terre ferme après avoir échappé à la guerre et à la misère, pour suivre leur rêve d'une vie meilleure. Qui nous expliqueront ce que l'Europe est devenue, qui nous montreront, comme dans un miroir, ce que nous sommes devenus.

On n'échappe pas à la guerre en montant dans un avion. On s'enfuit à pied et sans visa, puisque personne n'en délivre plus. Quand la terre finit, on monte dans un bateau. Et cela revient à remonter à nos origines, à la source d'où jaillit encore l'eau qui nous abreuve. C'est toujours la même histoire, finalement. Une jeune Phénicienne s'échappe de la ville de Tyr, elle traverse le désert tout entier, et puis ses pieds n'avancent plus parce que devant elle il y a la mer. Là, elle rencontre un taureau blanc qui baisse la tête et la prend sur son dos, et devient la barque qui sillonnera la mer pour l'amener jusqu'en Crète. Cette jeune fille s'appelle Europe. C'est de là que nous venons. Nous sommes les enfants d'une traversée sur l'eau.

Le grand naufrage du 3 octobre 2013 eut lieu avant l'aube, à moins d'un demi-mille des côtes de Lampedusa, à la hauteur de l'anse qu'on appelle Tabaccara. La dynamique de la catastrophe fut simple et sans pitié : apercevant la terre ferme, quelqu'un, pour faire de la lumière et signaler la position du bateau, mit le feu à quelque chose, peut-être une couverture. Il y avait du gazole partout. Les flammes se répandirent aussitôt sur le pont où tous les gens s'entassaient. D'instinct, ils reculèrent pour ne pas brûler. Ce déplacement instantané entraîna le déséquilibre immédiat de l'assiette, déjà bien précaire. Le bateau de pêche se renversa et rapidement coula à pic.

Entre le pont et la soute, il transportait plus de cinq cents personnes.

Il y eut cent cinquante-cinq survivants.

Trois cent soixante-huit cadavres repêchés en mer.

Le 3 octobre fut la ligne du partage des eaux. On vit et on repêcha pour la première fois sur les rives de l'Europe un très grand nombre de cadavres. Les images de tous ces corps sans vie flottant sur la mer furent montrées par tous les médias du monde. Il y avait même un fœtus à peine expulsé, encore attaché au cordon ombilical de sa mère. Aucune épave n'était visible sur l'eau, et pourtant il y avait des cadavres partout. Dans les heures qui suivirent les premières images montrées à la télévision, le monde politique italien et européen prit d'assaut Lampedusa pour défiler devant les caméras.

Un proverbe sicilien dit : « *'U morto insegna a chiànciare*, un mort nous apprend à pleurer. »

*

« Ce jour-là j'étais en mer, j'avais dormi sur mon bateau, comme souvent les soirs d'été, cette année-là comme les précédentes. Ça ne m'est plus arrivé ensuite. Je ne suis plus sorti en mer la nuit. Ni avec des amis, ni avec d'autres gens, ni tout seul. À partir de là, mon rapport à la mer a changé du tout au tout. »

Vito, j'étais venu le rencontrer chez lui. Il avait posé entre nous sur la table une bouteille d'eau fraîche prise dans le frigo et deux verres. Il avait dévissé le bouchon, rempli les verres et reposé la bouteille entre nous deux.

« J'ai toujours beaucoup travaillé, j'aime ça. J'ai commencé tout petit, j'aidais mon père à la menuiserie.

Ensuite, je suis devenu opérateur en mécanographie, à l'époque où les ordinateurs étaient énormes, le plus petit occupait pas loin de vingt mètres carrés. Après mes huit heures réglementaires à l'entreprise, je rentrais aider mon père à la menuiserie et, en 1973, j'ai démissionné de mon poste d'opérateur pour m'occuper entièrement de la menuiserie familiale. On réalisait des aménagements d'intérieur et des installations de foire, ça m'a permis de voyager dans le monde entier. Quand je suis arrivé pour la première fois ici, à Lampedusa, en 2000, c'était pour prendre un peu de repos, faire une coupure avec la ville et le travail. J'étais vraiment fatigué. En deux semaines de vacances, j'étais tombé amoureux de cet endroit. Je suis rentré chez moi et j'ai fermé ma boîte. Le besoin de revenir ici était trop fort. »

Des hommes de foi, comme mon père, soutiennent qu'aussi indéchiffrables et mystérieux que soient les desseins célestes, l'aiguille de la balance qui oriente le cours des choses est toujours le libre arbitre. Si les événements sont déterminés par l'enchaînement mutuel des actions et des réactions, la foi, malgré la mécanique inhérente à la matière, nous aide à percevoir qu'il existe des mystères. On peut l'appeler intuition, illumination ou vocation, pour rester dans le domaine eschatologique. C'est inexplicable, mais on éprouve parfois clairement la sensation d'un appel qui a traversé le temps pour nous aider – voire nous pousser – à aller vers telle décision, fût-elle draconienne, comme si toutes les pièces du jeu se déplaçaient ensemble sur l'échiquier de la réalité, inexorablement, selon une trame invisible qui fait que chaque pièce accomplira volontairement son propre mouvement, jusqu'à ce que se dessine dans l'espace et dans le temps l'alignement exact pour que telle ou telle personne se retrouve en un endroit précis à un moment précis.

Par exemple, pour sauver des vies humaines qui se noient en mer.

« Quand tous mes salariés ont été embauchés ailleurs – je ne voulais laisser personne sur le carreau –, j'ai fermé la menuiserie et commencé ma vie à Lampedusa. J'avais cinquante-deux ans. »

Je le regardais à travers la bouteille. La moitié de son visage, la partie inférieure, était distordue par l'eau. Ses épaules, son cou et sa tête, eux, restaient les mêmes. Vito me fixait et continua de me fixer jusqu'à ce que j'aie bu toute l'eau qu'il m'avait versée.

« En 2007, on m'a offert un bateau qui avait été désarmé, dix mètres de long. Il avait appartenu à un pêcheur. J'ai décidé de me lancer comme défi de le refaire entièrement. L'année d'après j'ai passé l'examen pour le permis bateau et je l'ai eu. Le bateau, lui, je l'ai rebaptisé *Gamar*, à partir des initiales de mes petits-enfants, qui sont le bonheur de ma vie. Il s'appelait autrement, avant, mais je l'ai changé parce que j'avais beaucoup modifié la coque, c'était presque un autre bateau. Après le 3 octobre, un ami m'a arrêté dans la rue. Il m'a dit : "Oh, Vì, tu te rappelles le premier nom qu'il avait, ton bateau ?" Évidemment que je me rappelais. Il s'appelait *Nuova Speranza*. Et c'était vrai, ce bateau a donné un nouvel espoir à tous ceux qu'il a sauvés. »

Il tendit la main et but. Reposa le verre et cessa de me regarder. Ses yeux s'étaient fixés sur le mur devant lui, blanc et nu. La surface idéale pour reconnaître les fils invisibles qui tissent notre existence.

« Je vais te raconter quelque chose. Moi, je viens de Bari. Quand j'étais petit, je devais avoir treize ans, j'étais sorti en canot pneumatique, les ronds, les moches, sans moteur, avec un type qui était majeur, ça je m'en souviens parce qu'il avait déjà son permis et il conduisait. Il s'appelait Toni. Avant de sortir en mer, on nous avait avertis sur la plage : "*Guagliò, statt accùrt, che sté vìnt sop a' terra!* Les gars, attention, le vent il vient de terre !" Quand le vent souffle de la terre, c'est dangereux. Ça t'entraîne au large. Moi, je le savais pas, mais Toni a dit : "T'inquiète pas, on jettera l'ancre." Et on est partis. L'ancre, c'était une grosse pierre ficelée au bout d'une corde. Au large, on avait déjà depuis quelque temps jeté l'ancre, je me suis aperçu qu'on s'éloignait de la terre, de minute en minute. "Toni, on s'éloigne ! – T'inquiète pas", il répondait. Après tout, si c'est un grand qui le dit. Et j'ai arrêté de m'inquiéter. Au moment de rentrer, Toni me dit de remonter l'ancre. Je tire sur la corde, mais la fameuse ancre avait disparu : le nœud s'était défait et la pierre partie je ne sais où, je ne sais quand. On était vraiment loin au large. On a essayé de ramer, mais rien à faire, impossible de se rapprocher du rivage. Là, Toni dit : “Je me mets à l’eau, je passe la corde sous mes épaules et je nage.” Il plongea pendant que je pensais : comment il peut croire qu’il va tirer un canot comme ça ? Je ramais en même temps mais nos manœuvres additionnées n’ont rien donné. Au contraire, on était encore plus au large. Toni est remonté dans le canot. Il commençait à se sentir mal, à vomir, il avait des crampes à l’estomac, de fatigue et de nervosité. Je me répétais que c’était pas la peine de paniquer, il y avait du vent mais au moins la mer était calme, ça nous a bien aidés d’ailleurs. Je faisais de grands signes avec ma serviette de bain, j’étais sûr qu’on finirait tôt ou tard par nous repérer. Mais on s’éloignait toujours. Les voitures sur la côte étaient devenues minuscules. À un moment, derrière nous, à l’horizon, j’ai vu un petit point qui devenait de plus en plus gros. Peut-être qu’ils nous voient, je me disais, pourvu que oui. Et oui, ils nous avaient vus. C’était un bateau de pêche qui rentrait au port de Palese. Quand ils nous ont accostés, un pêcheur a crié du bord : “Putain, les gars, où vous croyez aller ?” Ils nous ont pris en charge, et le canot avec, et on est rentrés. Ça a pris une heure trois quarts pour arriver au port. »

Le regard de Vito revint sur moi.
Il se versa encore de l’eau et recommença à parler.
Il avait trouvé le fil.
Maintenant il suffisait de le renouer.

« Les pêcheurs nous ont dit d'aller déclarer le sauvetage à la capitainerie du port. Mais Toni n'a pas voulu, il est allé droit vers le parking chercher sa voiture en me disant d'attendre là. J'étais petit, je n'avais aucune expérience de rien. Aujourd'hui, j'irais sûrement à la capitainerie pour dire : "Les pêcheurs nous ont sauvé la vie", parce que c'était ça, ils nous avaient sauvé la vie en nous ramenant au port. Il aurait pu nous arriver n'importe quoi. Quelques jours après le 3 octobre, ça m'est revenu en mémoire. Comme si une petite lampe s'allumait dans ma tête. J'ai pensé : voilà mon histoire, de naufragé à sauveteur de naufragés. La boucle est bouclée. »

Il leva le verre et but l'eau. Il la but avec une lenteur têtue, comme pour trinquer, quelques décennies plus tard, à la santé des sauveteurs de son enfance. Il reposa le verre, et mit la bouteille plus près du bord.

Il n'y avait plus d'obstacle entre nous.

« La nuit du 3 octobre, la mer était tranquille, paisible. On est sortis en bateau avec mes copains et on s'est arrêtés à Cala Tabaccara pour se baigner et manger quelque chose. C'était toujours là qu'on allait. Et soit on rentrait tard, vers deux trois heures du matin, soit carrément le lendemain, très tôt. On a décidé de rester à la Tabaccara pour pêcher à la traîne le lendemain. On a dîné et on s'est couchés. Tout était tranquille, tout était normal, c'était la nuit noire. Je dormais en bas, sous le pont, mes copains au-dessus, dans la cabine de pilotage. Je me suis réveillé en entendant le treuil remonter l'ancre et le moteur démarrer. J'ai pensé : c'est l'aube, on va pêcher. La barque était à peine partie depuis quinze secondes que le moteur s'arrêtait. J'entendais parler au-dessus. J'ai dit : "Qu'est-ce qui s'est passé ? Une panne de moteur ?" Je me suis précipité dans la cabine et j'ai répété : "Qu'est-ce qui s'est passé ? Le moteur a des problèmes ? – Non, non", a répondu Alessandro. Il était à la barre. Il m'a dit qu'il avait entendu "*vuciàre*". *Vuciàre*, tu sais ce que ça veut dire, pousser des cris, des gémissements. Nous, on n'entendait rien. Sans compter que toutes ces mouettes, ces puffins, quand ça crie, c'est comme des lamentations humaines. J'ai dit à Alessandro : "C'est les oiseaux. – Non, non, non, j'entends crier, j'entends crier." Il en était si convaincu que je n'ai pas voulu le contrarier. "Alessandro, ici on ne voit rien. Démarre et on va plus loin en mer." Il démarre et on dépasse le promontoire de la Tabaccara. Des mouettes et des puffins qui volaient. "Tu vois ? Tu vois ?" Je suis allé à la proue pour regarder aussi par là, prêt à répéter : "Tu vois bien qu'y a rien !" Et là, tout à coup, j'ai vu toute une bande de mer remplie de gens qui hurlaient. Ils criaient : "*Help !*" Des silhouettes noires, les bras levés. Je me suis dit : là, il y a une catastrophe. Il y avait au moins deux cents personnes. J'ai demandé aux autres d'appeler la capitainerie du port, on n'aurait jamais pu sauver tous ces gens, on avait besoin d'aide. Alessandro a appelé tout de suite. Je te le dis sincèrement, j'ai eu vraiment peur. Comment les sauver ? On était déjà huit sur le bateau. On pouvait en prendre combien à bord ? Deux ? Trois ? Guère plus.

Où on les aurait mis ? Ça a duré dix secondes, pas plus. Je suis allé à la poupe, j'ai pris les bouées et des cordages. "Alessandro, approche-toi d'eux." Et on a commencé à faire monter des gens dans le bateau. Ils étaient désespérés, à moitié nus, couverts de gazole. Dès que tu les attrapais, ils te glissaient des mains. On en a embarqué trois, mes copains leur ont parlé en anglais, moi je connais pas l'anglais, d'ailleurs ça m'énerve. "Demandez-leur combien il y en a en mer." Et l'un des trois a dit : "Cinq cent soixante-sept." Mais il n'y en avait pas cinq cent soixante-sept dans l'eau. C'est là que j'ai pris la mesure de la tragédie. On continuait à remonter des gens. Sans plus les compter. Sans penser à rien d'autre. Sans savoir où les mettre. En attraper un, et recommencer. Un autre, et encore un autre. Et puis un autre. Entre-temps un petit bateau est arrivé, un cinq mètres à peine, plus bas que le nôtre. C'était le *Nica*, le bateau de Costantino. Je le voyais du coin de l'œil. Costantino les pêchait dans l'eau sans même les prendre par la main, il les soulevait à bout de bras en les agrippant par le pantalon et les jetait dans sa barque. Il en a récupéré onze comme ça. Un bateau de pêche est arrivé. Je me suis dit : ouf, on vient nous aider. Sauf que sur le bateau de pêche, quand ils ont vu toutes ces personnes qu'on avait à bord, un des deux pêcheurs a crié à son frère : "*Minchia*, approche-toi, ces salauds sont en train de jeter des gens à la mer." Ils nous prenaient pour des passeurs ! Quelques instants plus tard, une fois dépassé le promontoire, eux aussi ont vu tous ces gens à la mer. Ils ont manœuvré pour en charger le plus possible. C'est un bateau de pêche dont la muraille est haute, ils n'avaient pas d'autre solution que de leur lancer des cordes en espérant que des naufragés réussiraient à s'y accrocher pour qu'on puisse ensuite les tirer. Certains y arrivaient, d'autres pas. Eux, ils ont sauvé dix-huit personnes. Vers sept heures et quart, la capitainerie du port est arrivée. Eux aussi ont commencé à repêcher ceux qui étaient encore à la mer, qui criaient et qui pleuraient. Malgré la tragédie, ils ont tous eu de la chance. Cette nuit-là, il avait soufflé un léger sirocco. C'est le sirocco justement qui les avait sauvés, parce qu'il pousse du sud-est vers l'île. S'il y avait eu du mistral au lieu du sirocco, on n'aurait retrouvé personne. Le sirocco leur a donné le premier coup de main. Et nous le deuxième. Sur mon bateau, on a tiré de l'eau quarante-sept personnes, toutes vivantes. »

Il remplit de nouveau son verre. Et ne vit qu'au dernier instant qu'il était plein à ras bord. L'eau était à la limite de déborder. Il reposa la bouteille et de sa poitrine sortit une longue et profonde respiration.

« Quand je vais au port inspecter mon bateau et que je vois des bouées éparpillées en mer, eh bien, celles qui ont des rayures noires me font sursauter. Aussitôt je pense que ce sont des gens qui supplient qu'on leur vienne en aide. Ça a été dur de reprendre la mer. Dur. Il a fallu qu'on se force, mes copains et moi. On se disait : bon, aujourd'hui il faut qu'on sorte. Ça faisait une semaine déjà. La première sortie a été dramatique. On n'avait plus les yeux fixés devant nous comme avant.

Notre regard cherchait, et cherche encore, si quelqu'un est perdu en mer. Petit à petit ça a un peu changé, mais pas tellement, pas entièrement. Derrière une vague, je continue à voir des gens. »

Sa main prit le verre. Quand il le porta à sa bouche, évidemment, de l'eau coula, malgré la lenteur du geste. Les gouttes restèrent sur la table, minuscules petites mares prêtes à s'évaporer dans la chaleur étouffante de l'après-midi.

« Ces garçons, je les ai revus, tu sais ? Ils m'appellent *Father Vito*. Ils me disent : "*You are my father.*" Je pense à eux tous les jours. Je suis un peu claustrophobe, ça m'arrivait toujours quand je prenais l'avion : au moment où les portes se fermaient sans que l'avion bouge, j'étais agité. Je me sentais mal. Alors que maintenant, c'est à eux que je pense. Et ça ne m'arrive plus. »

Nous restâmes assis un certain temps, pendant que le chant des cigales envahissait la pièce et que le soleil de l'après-midi étendait sa domination sur l'île.

*

La voix de Costantino était ténue, contrastant avec la largeur de ses mains. Sa vie de manœuvre s'exprimait dans ces doigts puissants qui avaient cassé les pierres. Les doigts, entrecroisés, restaient immobiles sur la table, comme des instruments de travail pendant la pause.

« Ce 3 octobre, j'étais sorti avec mon petit bateau, le *Nica*, avec mon copain Onder. On avait voulu partir tôt, à l'aube, pour pêcher avant les autres et prendre du poisson nous aussi. On s'est dirigés vers l'île des Conigli. Tout à coup, on voit un bateau arrêté en mer. C'était celui de Vito. Il y avait plein de gens à bord. C'est là qu'on a vu tout à coup devant nous des têtes sur l'eau. Ils étaient presque nus. Onder et moi, on a essayé de les repêcher, mais ils étaient couverts de fuel, ça glissait. On serrait de toutes nos forces mais on n'avait pas de prise, ni sur les bras, les mains ou les aisselles. À cause du fuel, c'était impossible, ça ratait toujours. Le premier corps, un gamin, on a réussi à l'attraper grâce à sa ceinture, on a tiré et on l'a remonté dans le bateau. D'autres barques arrivaient et on nous criait : "Laissez tomber les morts, occupez-vous des vivants !" On a repéré les gens habillés et on les a tirés par le pantalon, le T-shirt, la ceinture. Un à un. Il fallait serrer fort le tissu et tirer, pas d'autre moyen. On en a repêché dix, des hommes, vivants. Le bateau avançait tout doucement pour ne pas risquer d'en heurter un. Mais les autres, en mer, ils avaient l'air tous morts, tous. Dans le dernier tour qu'on a fait pour les transborder sur la vedette des gardes-côtes, j'ai pourtant vu du coin de l'œil bouger à la surface la main d'une fille. On a eu beaucoup de mal à l'attraper, elle avait trop de fuel sur elle. Elle n'arrêtait pas de glisser. Mais on a quand même fini par la remonter. J'ai enlevé mon T-shirt pour l'essuyer, enlever le gazole sur ses bras et aux aisselles et la couvrir. Elle a vomi du fuel, toussé, vomi encore. Mais elle était vivante. »

Costantino dénoua ses doigts et ouvrit les mains.
Il resta silencieux à regarder ses paumes, comme si c'était un livre, les pages d'un passé qui ne cessait de revenir.

*

Simone, l'ami de Paola et Melo, avait la peau de ceux qui sont toujours en mer, presque noire, tannée par le soleil, le vent, le sel. Ses cheveux longs avaient la couleur des cordages de navire. Sa barbe était entièrement blanche.
Il m'attendait sur la digue de Cala Pisana, marchant cinq mètres dans un sens, cinq mètres dans l'autre, comme un pendule. Son pas nonchalant semblait calqué sur le balancement des barques. Simone avait besoin de marcher quand il parlait. C'est un trait commun aux gens de mer, qui ne sont pas très à l'aise avec la terre ferme. Il leur faut bouger pour retrouver l'équilibre.
« Nous à Lampedusa, tu sais, on fait rien de spécial. C'est normal, tu vois quelqu'un à l'eau, tu te penches pour le repêcher. N'importe qui, s'il voit quelqu'un en train de se noyer, fait tout pour le sauver. Davidù, on n'est pas des héros. »
Puis il cessa de m'appeler Davidù et passa au « *A Dà* ».
« A », le vocatif qui demande qu'on écoute, appelle l'attention de l'autre sur soi. Suivi de son prénom tronqué, où ne brille plus que la première syllabe, en signe de confiance et de nécessité, et à cause de l'urgence de ce qu'on veut communiquer à l'autre.

« *A Dà*, ce matin-là j'étais pas censé sortir en bateau, mais comme je m'étais réveillé tôt, j'ai pris la mer vers huit heures moins le quart. En sortant du port, je me dis : je vais à droite ou à gauche ? *Amunì*, à droite. Et presque tout de suite j'ai croisé la barque de Vito. Elle était bourrée de gens. *Che succiriù mai ?* Qu'est-ce qui se passe ? Je pousse le moteur au maximum, peut-être que j'arriverai à temps pour donner un coup de main. Je croise les gardes-côtes qui me font comprendre par gestes qu'il faut aller doucement, très doucement. Il y avait sans doute quelque chose dans l'eau. Je mets le moteur au minimum et je navigue à vue.

Et tout à coup, je vois en surface un petit maillot de corps.

Un sac plastique.

Une carte d'identité qui flotte.

Un mort.

Un short.

Des chaussures.

Un mort.

Des claquettes.

Un bracelet.

Trois morts.

J'ai eu un *arrivùghiu*, un de ces haut-le-cœur… je récupère les premiers corps. Des cadavres, ils ne respirent pas. J'en prends d'autres. Morts eux aussi. Chaque fois, j'espère qu'il y en a un de vivant, mais ils sont tous morts. Et puis je vois flotter un tout petit corps, grand comme ça. Un *picciriddo*. Quel âge il pouvait avoir ? Un an ? Deux ans ? Mais lui non plus, il ne respire pas. *Mi si secca'u cori*, j'étais arrivé trop tard. Ça me poursuit, ce remords de n'avoir pu sauver personne.

Dans l'après-midi, les gardes-côtes me demandent de les aider à repérer leur bateau, ils ont vu un endroit où le bateau pourrait avoir coulé. J'y vais et je plonge. Je nage dans la zone supposée et tout à coup, je vois une tache blanche au fond. Du sable. Et c'était là, exactement, que le grand chalutier avait coulé, comme s'il avait visé l'endroit. Il fait environ vingt-cinq mètres et il s'est posé là, au milieu de cet espace blanc. Et tout autour, comme déposés eux aussi sur le sable, des cadavres. *A Dà*, je nage et en même temps je pleure. Je nage et je pleure. Sur l'accastillage, à la poupe, je vois deux personnes étendues. Dans les bras l'une de l'autre. La tête tournée vers le haut, comme pour regarder le ciel. Je nage, et je continue de pleurer. Je dois aller dans la coque pour évaluer la situation sous le pont. J'entre, et je me retrouve avec des cadavres partout. L'un sur l'autre, dans tous les coins, dans toutes les ouvertures. Des morts partout. Cadavres sur cadavres sur cadavres. À l'intérieur, il y en a bien deux cent cinquante. J'aurais voulu ne plus jamais plonger, *a Dà*, je te jure, ne plus jamais descendre au fond. Si j'avais pas eu des clients qui m'avaient déjà engagé et qui devaient arriver quelques jours plus tard, je ne serais plus jamais descendu. »

Simone se mordait la lèvre.

Son front était couvert de gouttes de sueur, comme des points laissés par une couronne d'épines.

*

Les cadavres furent remontés et déposés dans le hangar de l'ancien aéroport. Aucune autre structure ne pouvait les accueillir tous. Ils occupaient une surface de plusieurs centaines de mètres carrés, rangée par rangée, dans de grands sacs noirs.

Dessinant une constellation obscure, sur ce parvis à l'extrême sud de l'Europe.

« Et puis il y a eu tous ces cercueils alignés, et deux petits Érythréens, l'un près de l'autre, très beaux, posés sur le sol, juste une couverture de survie entre la terre et eux. Comment on peut faire ça ? Y a peut-être plus de cercueils, mais on ne peut laisser par terre deux *picciriddi* comme ça ? Je suis allé voir le policier et je lui ai dit : "Vous allez rien faire ?" Alors je suis allé chercher une palette en bois, qu'ils soient au moins un peu en hauteur. Ils étaient vraiment très beaux, ces *picciriddi*, ils avaient à peine quatre ans. J'ai pensé à mes filles. J'avais le cœur serré en les déposant sur la palette. »

« Beaucoup de cadavres étaient méconnaissables, déformés par l'immersion prolongée, rongés par le sel, mordus par les poissons. La mer avait envahi les organes et les tissus, des os sortaient de la chair, les corps étaient monstrueusement gonflés. Souvent, la peau avait craqué et les membres s'étaient détachés. Aucune rigidité cadavérique, ni chez les adultes ni chez les enfants. »

« C'étaient des êtres humains mais on aurait dit des éponges. »

« Le maire nous avait demandé de l'aide, à nous les résidents, pour accueillir les familles des victimes. La nouvelle du naufrage avait eu tout de suite un grand écho international, et les parents des personnes décédées sont arrivés à Lampedusa. Ils venaient presque tous du nord de l'Europe. L'arrivée des familles a duré tout un mois. Beaucoup, à peine descendus de l'avion, fondaient en larmes. Et nous, qu'est-ce qu'on pouvait faire ? À part les serrer dans nos bras ? »

Les premiers arrivés erraient dans le hangar en cherchant quelque chose – un signe particulier, un bracelet, un collier – qui permettrait l'identification. Mais les corps ne ressemblaient plus du tout à leurs souvenirs ou aux photos qu'ils avaient. Des gamines toutes menues avaient pris des formes démesurées. Et, souvent, il manquait quelque chose : un morceau de jambe, des doigts, les deux yeux, les pieds, une main, les oreilles, un bras, la lèvre inférieure. Il y avait partout des marques de morsures. »

« Quand ils avaient réussi à identifier le corps, ils étaient inconsolables. Quand ils n'avaient pas réussi, pareil. »

« Une semaine après, un porte-conteneurs avait jeté l'ancre au port pour emporter les cercueils en Sicile, où les corps ont été enterrés dans différents cimetières, sans ordre précis. Une foule de familles de victimes se pressait sur le Porto Nuovo. Les cercueils étaient transportés du hangar jusqu'au môle dans des camions frigorifiques, comme un chargement de poisson. Pendant le trajet, certains parents avaient grimpé sur les parois des camions, pour essayer de déposer des fleurs sur les cercueils, tous noirs sauf ceux des enfants, petits et blancs. Les cercueils ont été chargés sur le navire avec un chariot élévateur qui les montait à l'aide d'un bras mécanique. Sur la jetée, tout le monde sanglotait. »

*

Au moment où le chalutier s'était renversé, j'étais à Amsterdam, invité en résidence d'écrivain dans le cadre du programme *Writer's Residency*. En août mourut mon grand ami Totò. Une tumeur au côlon l'avait emporté en même pas deux mois. Je l'avais vu se flétrir de jour en jour. À chacune de mes visites, il pesait quelques kilos de moins.

« Comment il va ? m'avait demandé Silvia qui me voyait rentrer accablé d'une de mes dernières visites à l'hôpital.

– Il ressemble à un grain de raisin racorni. »

C'était vrai, il était devenu comme un pétale, de plus en plus léger, Totò. C'était injuste, ce flétrissement, trop rapide, trop inéluctable. Je ne pouvais pas l'accepter. « C'est trop », voilà les seuls mots qui me venaient à l'esprit en pensant à lui. Trop proche de la mort. Trop loin de ce qu'il aurait dû être. Trop malade pour guérir.

Je cessai de parler de lui. À personne. J'évitais le sujet. La vie abandonnait mon ami, révélant son ossature, et je ne pouvais rien faire.

Totò avait été le propriétaire et l'animateur d'*Altro-*

quando, un lieu qu'il serait réducteur d'appeler une librairie de bandes dessinées. Sa boutique sur le corso Vittorio Emanuele II à Palerme a été un creuset de culture, on y organisait des présentations, des rencontres avec des auteurs de bédés, et elle a été le point de ralliement pour le mouvement des droits des LGBT. Pendant des années, quand j'habitais à Palerme, je descendais le matin et je me promenais jusqu'à l'*Altroquando*. Totò sortait et on allait se boire un café au bar, puis on revenait à la boutique, je prenais une pile de bédés au hasard, je disais au revoir à Totò, je rentrais chez moi les lire, et je les rapportais à l'heure du déjeuner, en gardant celles que j'allais acheter, et on s'en allait déjeuner tous les deux à Ballarò ou au Capo. C'était la fête. Mais fin juin 2013 était arrivée la découverte de son cancer, et au mois d'août il était mort. Un gouffre s'ouvrit en moi. Je me refermai sur moi-même. Incapable de suturer la blessure. À la seule pensée que Totò n'était plus là, j'avais une envie violente de pleurer mais je m'en empêchais, mes yeux s'emplissaient de larmes que je retenais, il y avait autour de moi un filet de protection prêt à me rattraper, mais je restais accroché à ma souffrance, je n'arrivais à rien voir d'autre que ma douleur et mon deuil.

La dernière fois que je lui rendis visite à l'hôpital, deux jours avant sa mort, Totò était en plein shoot de morphine. Il souriait, bougeait lentement, on voyait qu'il n'était plus dans la réalité. Mais à mon avant-dernière visite, une semaine avant que son cœur s'arrête, Totò me raconta une histoire.

Bouddha et un de ses disciples marchent vers le temple.

À un carrefour, ils rencontrent une femme. « Bonjour », lui dit Bouddha. La femme répond à son salut. Bouddha et son disciple reprennent leur route et au coucher du soleil ils arrivent au temple. Au moment où Bouddha s'apprête à aller prier, son disciple lui demande : « Maître, n'est-ce pas toi qui prêches le détachement de tout ? Pourquoi as-tu salué cette femme au carrefour ? » Et Bouddha répond : « Vois-tu, cette femme, je l'ai laissée là-bas, alors que toi, tu l'as amenée ici. » Et il s'en va prier.

Ce furent les dernières paroles lucides que m'adressa mon ami.

J'avais traîné avec moi ce malheur intérieur jusqu'à Amsterdam. Je n'arrivais plus à écrire, la vie m'avait offert des excuses parfaites pour pleurer sur moi-même.

Puis il y eut cette tragédie près des côtes de Lampedusa. Un déclic se fit dans ma tête. J'avais accepté de publier pendant mon séjour un journal en ligne sur le blog de la *Nederlands Letterenfonds Dutch Foundation for Litterature*. Le 3 octobre 2013, à chaud, j'écrivis ceci :

Je marche le long du canal, sur lequel veillent les milliers d'yeux des maisons d'Amsterdam.

L'écho de la tragédie de Lampedusa vient de m'arriver, au large on continue de repêcher une quantité énorme de cadavres, on n'arrive jamais au chiffre définitif. C'est un décompte impitoyable.

Le ciel, vu dans l'eau, bouge sans cesse. Le pont qui coupe le canal permet d'admirer ce paradoxe : les choses célestes tremblent et celles des hommes restent solides. Les rives du canal, les vitres des fenêtres, la géométrie irrégulière des maisons s'épaulant comme des sœurs qui viennent de remporter un défi.

Deux amoureux s'embrassent près d'un bateau dans l'air tiède de ce début d'octobre. Le ciel offre son bleu en cadeau, et dans l'image que l'eau renvoie, les reflets des lumières étincellent comme des lucioles, brèves et vite englouties par ce qui est trop paisible et trop distant pour englober vraiment les angoisses et les joies de ceux qui habitent de ce côté-ci de la vie.

Ici, au cœur de l'Europe, on a gardé la mémoire de la force de la mer. C'est écrit dans la peau de cette ville, au visage marqué de rides de sel.

Une ville qui a compté autant de marins parmi ses habitants connaît ses lois.

La mer respire, à la différence du ciel.

La mer donne et prend quand elle le décide, comme le ciel.

La mer, cette même mer où je viens d'arriver accompagné par les canaux, qui baigne toutes les côtes d'Europe, est maintenant remplie de corps morts, ces migrants naufragés dans l'odyssée du désespoir.

Les poissons recommenceront à se nourrir de chair humaine.

Un chat me regarde, tandis que deux jeunes gens passent à bicyclette, main dans la main.

Un poème d'Ungaretti, tiré du chant de Didon, me revient en mémoire, dans un contexte complètement différent, mais qui, pour moi, en cet instant, parle des âmes qui meurent en mer pour échapper à la misère. C'est la mer qui les sépare de la vie.

À présent le vent s'est fait silencieux
et silencieuse la mer,
tout s'est tu, mais seule
je crie le cri de mon cœur,
cri d'amour, cri de honte
de mon cœur qui brûle
depuis l'échange de nos regards.
Je ne suis plus qu'un frêle objet.
Je crie et mon cœur brûle inapaisé
depuis que je ne suis plus
que chose en ruine, abandonnée.

Tout se résumait pour finir à deux vérités simples : je ne reverrais plus jamais Totò, et le temps que nous avions passé ensemble avait été un temps béni. Dans les dernières pages de mon journal en ligne, j'ai affronté, enfin, ce deuil privé.

Un éclair de lumière avait commencé d'entrouvrir mes ténèbres.

Silvia me tenait la tête et je me serrais contre elle.

C'était environ trois semaines après le 3 octobre.

Cher Totò,

Il y a bien longtemps, tu m'as parlé de l'époque où tu étais à Amsterdam. Tu m'as dit, en allumant une énième cigarette : « C'était en 1971, l'Italie commençait à faire chauffer le plomb et découvrait l'héroïne, j'avais vingt ans, j'étais écœuré par mon pays et je voulais à tout prix voir le monde. » Mais Amsterdam – l'Amsterdam que je voyais dans tes paroles – tu ne me l'as pas racontée : nulle maison biscornue, nul canal aux formes géométriques, nul tableau de Vermeer. Tes anecdotes illustraient toujours la façon dont tu essayais de survivre, en énumérant les métiers que tu faisais et les canapés où tu dormais ; elles parlaient du goût de la bière fraîche et de la quiétude de fumer un joint au chaud ; elles évoquaient les yeux de tes amoureux, des garçons pauvres et paumés comme toi, sauf un, un quinquagénaire canadien riche au-delà de toute imagination, et généreux aussi, qui, après ton retour en Italie, avait continué quelque temps à t'envoyer des enveloppes avec un peu d'argent. Tu te souviens, Totò ? Arrivé à ce moment de l'histoire, tu mimais l'ouverture de sa première lettre et tu reproduisais sur ton visage la stupeur d'y découvrir de l'argent en monnaie étrangère, et ensuite tu me regardais et tu éclatais de rire, tes yeux redevenaient ceux d'un enfant, des pierres précieuses encastrées dans les rides de ton visage de roi shakespearien. Mais je dois t'avouer que j'ai été un peu contrarié quand tu m'as répondu seulement, alors que je t'annonçais que j'allais partir en résidence d'écrivain et vivre moi aussi quelque temps à Amsterdam : « Tu me raconteras les feuilles des arbres, Davidù. » Je ne comprenais pas encore, Totò, je ne prêtais pas assez attention à certaines choses, tu étais encore vivant, on venait de te découvrir une tumeur et je n'étais pas préparé à l'idée que tu pourrais mourir. Je ne sais même pas aujourd'hui si c'est ça la raison. Chaque fois que je pense à toi, j'ai envie de pleurer. J'avais commencé à te bombarder de questions, parce que j'avais concocté un plan infaillible : « Où tu as habité ? Il y a une rue, une place, un canal, un coffee-shop dont tu te souviennes plus que d'autres ? Peut-être qu'il existe toujours, j'irai voir et je te raconterai à mon retour. » Je voulais connaître ta géographie personnelle, Totò, les endroits à photographier pour te les montrer ensuite. Je croyais que c'était une bonne idée, j'étais sûr que ça marcherait : « Regarde comme ça a changé ! Mais là, tout est resté pareil », et que j'allégerais peut-être un peu ton mal. Mais la vie n'a que faire des idées géniales, elle suit son cours de manière autonome et indéchiffrable. Quelque chose est allé plus vite que le calendrier, je n'ai pas pu te montrer les photos puisque tu es parti avant mon voyage à Amsterdam.

Voilà pourquoi, Totò, en ce moment, je suis à Westerpark. Je parie que tu y es allé toi aussi, c'est ce parc tout en longueur, tu te souviens ? Aujourd'hui il y a des gens à bicyclette, des jeunes qui prennent le soleil, des vieux qui se promènent, des gens qui font du yoga, des enfants qui jouent et un équilibriste qui cherche le sens de la vie debout sur un fil. Un peu partout, des arbres. Ils ont des troncs robustes mais pas trop gros, j'arrive à joindre les mains quand je passe mes bras autour. Leur écorce est marron et verte, parce que parcourue de mousse, et sur des rameaux jeunes et bravaches les feuilles changent peu à peu de couleur. C'est seulement maintenant que je m'en aperçois, Totò : j'ai toujours pensé à l'automne comme à une saison grise, mais c'est une symphonie de couleurs qui se fondent les unes dans les autres, harmonieusement. Le vert, le bleu, le jaune, le marron, le rouge, dans toutes leurs nuances, et le ciel qui alterne l'azur et le blanc, et les mille lumières de la ville qui se reflètent sur l'eau et sur les vitres. Aucune saison n'est aussi colorée que l'automne. Et les feuilles, Totò, ces feuilles d'Amsterdam, elles sont jaunes, vertes, rouges, elles tremblent au vent et dansent pour tout le monde, pour l'équilibriste et pour les enfants, pour les chiens qui trottinent et pour moi, pour les vieux, et pour tes yeux de 1971, quand tu avais vingt ans et que ta barbe n'était pas blanche. Ce serait beau de revenir, même pour t'apporter une seule de ces feuilles, on rirait tous les deux parce que tu aurais vaincu le cancer et que je me sentirais mieux, alors que non, cet automne plein de couleurs va finir et l'hiver viendra et la pluie et le froid, et j'ai si peur de ne plus employer pour parler de toi que des verbes au passé, et pourtant les feuilles devant moi vibrent au vent, mais je connais la réponse maintenant, et tu sais quoi, mon ami ? Le mois d'octobre est splendide ici, à Amsterdam, les garçons continuent de s'aimer, la bière est toujours fraîche, les maisons restent biscornues et les feuilles, Totò, les feuilles sont jaunes, vertes, rouges et magnifiques.

*

Il s'en était passé, des choses, ces derniers mois.

Mon père allait souvent voir l'oncle Beppe à Reggio, il passait quelques jours chez lui. Ils allaient se promener sur les sites archéologiques où travaillait la tante Silvana, ils se photographiaient ensemble et mon oncle m'envoyait les photos sur WhatsApp, accompagnées de messages du genre : « Regarde qui est venu me voir. »

Il était si fier que mon père fasse le voyage pour venir chez lui que je n'avais aucun mal à l'imaginer rire en douce en me les envoyant. Il écrivait parfois : « Un à zéro pour moi. » Ou : « Regarde mon frère assis dans mon fauteuil. » Ou bien : « Il ne manque plus que toi. » Un jour, on avait dû l'hospitaliser d'urgence avec plus de 39 °C de fièvre, il était resté une nuit en observation. Il était ressorti en se sentant mieux, grâce aux médicaments. La nuit, il dormait mal et il lui arrivait de s'assoupir sur le canapé, le matin ou l'après-midi. Il s'était mis à prendre des cours de guitare, dont il n'avait pas joué depuis plus de trente ans, et il fredonnait souvent le refrain de *Sei nell'anima* de Gianna Nannini. Il m'avait demandé quels étaient mes romans italiens préférés et s'était acheté ceux qu'il n'avait pas lus. Il avait particulièrement aimé *La vita agra* et *Una questione privata*[1]. Et s'était dit prêt à relire le roman qu'il aimait par-dessus tout, *Le Conseil d'Égypte* de Sciascia.

Papa avait appris à photographier les gens. Il était passé assez naturellement de l'objet inanimé au sujet vivant, de chair et d'os. Comme si la nature morte avait été l'apprentissage nécessaire pour approcher l'être humain. Les objets lui avaient permis d'approcher son moi intime et le mystère de la vie.

« La rouille pourrait, à première vue, symboliser le dépérissement, quelque chose qu'on ne pourra pas sau-

1. Le premier est de Luciano Bianciardi (trad. fr. *La Vie aigre*, par Béatrice Arnal, Actes Sud 2007). Le second, posthume, est de Beppe Fenoglio et non traduit en français.

ver, m'avait-il dit. Mais en fait, une chose aussi inutile que la rouille peut créer elle aussi des formes fascinantes, se déployer dans l'espace, suggérer des perspectives nouvelles. »

Dans ses premiers plans, au contraire, mon père explorait l'être humain face à l'énormité de l'existence. Il y avait dans ses clichés de visages l'innocence, la peur, l'épuisement. Il avait réalisé une série de portraits très frappants à l'intérieur de l'hôpital. C'était sa géographie personnelle, les lieux dont il connaissait par cœur les parcours et les points de blocage. Il en avait parlé à ses collègues et s'était arrangé pour être invisible, respectant la stérilité d'une pièce, la priorité des mouvements du personnel, l'intimité inviolable des patients.

« À la différence de la photographie d'objets, celle des personnes consiste à saisir un instant, et pour le saisir il faut en anticiper la lumière. C'est comme tout le reste dans la vie, c'est plus simple si on part de ce qu'on connaît. »

Il s'était mis à me téléphoner toutes les trois semaines. Énorme, comparé au néant des quarante-deux ans qui avaient précédé. Il me racontait surtout ses visites à l'oncle Beppe en Calabre.

« Il se fatigue vite. Il m'a emmené dans l'intérieur des terres voir un village complètement détruit par le tremblement de terre. J'ai pris des clichés intéressants, surtout des gens qui surveillent la zone. Ils avaient des visages d'une fixité remarquable. On aurait dit des visages de pierre. »

Dans la photographie d'un visage, mon père percevait le délitement de l'existence. Son frère n'était en vie que grâce aux thérapies. Ainsi, la photographie était devenue un instrument et une fin, une interrogation sur le sens de la vie et une réponse. En dernière analyse, c'était la façon qu'avait mon père de tenter un dialogue avec Dieu, à la fois une tentative de comprendre et un abandon conscient aux mystères de l'existence.

*

J'appelai mon père sur son portable.

Je ne m'habituais pas à ce qu'il me réponde sans être à la maison.

L'astreinte a toujours été pour moi, avant l'arrivée des portables, une des conditions pénibles du métier de médecin. Le médecin qui était d'astreinte devait être chez lui, joignable à tout moment. « Aujourd'hui, je suis de garde », disaient à table soit mon père, soit ma mère. Jusqu'au lendemain matin, l'hôpital pouvait leur demander de venir n'importe quand. À toute heure du jour et de la nuit. Cette attente-du-coup-de-fil, lequel parfois n'arrivait pas, donnait la sensation d'une précarité constante. Le travail poursuivait mes parents jusqu'à la maison, s'asseyait à table avec nous, se glissait dans la chambre à coucher. C'étaient des jours spéciaux, où la ligne devait rester libre et rien de ce que faisaient mes parents n'était pleinement vécu : les livres étaient plutôt feuilletés que lus, et la musique servait de fond sonore aux pensées. Je crois qu'ils repassaient souvent dans leur tête le trajet le plus rapide pour se rendre à l'hôpital. Et puis le coup de fil arrivait, ou pas.

« Bonjour, papa.

– Bonjour. »

Les portables ont tout changé. Les secours en mer, par exemple. Ceux qui lèvent l'ancre sont dûment informés : en cas de problème, appeler aussitôt tel numéro auquel répondront les gardes-côtes. Transmettre sa position à partir des coordonnées satellites de son portable et attendre les secours. Le système fonctionne, si les courants ne sont pas trop forts, les vagues pas trop hautes, si les canots de sauvetage ne prennent pas l'eau trop vite.

« Tu es à la maison ?

– Non, à Poggioreale, en train de photographier les ruines du tremblement de terre du Belice. »

Quand j'étais en excursion ou en voyage, le seul moyen de communiquer avec la famille était la cabine téléphonique, quand ce n'était pas le téléphone à pièces d'un bistrot de montagne.

« C'est comment de photographier des ruines ?

– C'est très fort. On a beau être à quelques kilomètres de l'autoroute, le village est resté désert depuis 1968. Malheureusement, on préfère ignorer les cris de ces endroits envahis par le silence. Alors qu'il faudrait écouter leur voix, les comprendre. Les questions qu'ils nous posent à tous, depuis des décennies, sont des questions réelles. »

Quand on voulait se parler, on se fixait un rendez-vous, en général avant le dîner, on glissait des jetons dans la fente, et on racontait à sa famille, ou plutôt à sa mère, le strict nécessaire : je suis vivant, je mange, je me lave, je me suis fait de nouveaux amis.

« Papa, tu reviendrais à Lampedusa avec moi ?

– Bien sûr. Quand ? »

Et il fallait veiller à se coordonner, entre appelant et récepteur, et confirmer que chacun serait bien présent à l'heure convenue.

« Je voudrais y aller autour du 3 octobre, pour la commémoration du naufrage.

– C'est bien. »

Le téléphone fixe avait ses cathédrales sentimentales. C'est agrippé au téléphone chez moi que j'ai appris la naissance de mes deux derniers frères et la mort de mon grand-père. Dans une cabine téléphonique qui n'existe plus, j'ai murmuré « Je t'aime », dans une autre j'ai pleuré, dans une autre encore je me suis retrouvé sans jeton juste au moment de dire « Excuse-moi, je le regrette ». Certaines cabines avaient la réputation, assez justifiée, de porter chance.

« On retournera dormir chez Paola et Melo, à Cala Pisana.

– Parfait. Tu me diras la date, que j'aille voir l'oncle Beppe avant. »

Il y avait une cartographie précise des émotions, un plan qui montrait un réseau de relations entre l'être humain et le tissu urbain. Quelquefois, il y avait la queue devant la cabine. Surtout celles qui portaient chance. On se retrouvait parfois à discuter de ses problèmes avec de parfaits inconnus. C'est plus facile de s'ouvrir à des gens qu'on ne connaît pas. On comparait avec l'autre, on voulait s'éclaircir les idées avant de dire au téléphone « Tu me manques », « Adieu », « J'ai besoin de te toucher ». Parfois, dans la queue, naissaient des flirts de vingt minutes, « C'est à toi », « Ça m'a fait plaisir de parler avec toi », « Moi aussi », « Bon, *ciao* et bonne chance ». Habiter un lieu, c'est aussi y projeter ses sentiments, se permettre le luxe de communiquer à travers cette coïncidence unique d'espace et de temps.

*

Par temps clair, pendant le vol Palerme-Lampedusa, on peut regarder la Sicile d'en haut. L'intérieur des terres est une alternance de zones arides, dénudées, et de vallées luxuriantes. Les sources éparpillées sur le territoire furent un des premiers instruments de pouvoir – se répartir l'eau – par lesquels la mafia prit le contrôle de la région. Après quelques minutes de vol, où l'avion pointe vers le nord avant de virer vers le sud, ma chère Palerme se découpe à l'horizon, vue des montagnes qui l'entourent, ouverte pour embrasser la mer et ceux qui en arrivent, ville dévouée à l'accueil par son nom même, *Pan Ormus*, le port total, lieu de l'accostage et du départ. Et puis, c'est une succession de vignes et de cultures, au milieu des ruines et des rochers, jusqu'au moment où se déploie le Grande Cretto, l'immense labyrinthe de béton réalisé par Alberto Burri sur les ruines de la petite ville de Gibellina, détruite en 1968 par le tremblement de terre de la vallée du Belice. Vu d'en haut, le monument de Burri évoque le drap dont on recouvre les morts. Le drap blanc sur le cadavre, filtre qui rend inséparables le respect et la piété. La dernière image qu'on voit de l'île, c'est sa très longue côte, où le sable règne sur des kilomètres et des kilomètres, cerné par le maquis méditerranéen, entrecoupé de falaises de craie blanches. Puis, c'est la mer à perte de vue. Un bateau de pêche, un pétrolier, un hydroglisseur.

Le volcan éteint avec un petit port à ses pieds, c'est l'île de Linosa, puis encore la mer, jusqu'à la plate, aride et noire Lampedusa. L'avion descend progressivement, donnant l'impression qu'il va atterrir dans l'eau. Dès qu'on en descend, Lampedusa vous tombe dessus. La lumière, l'air salé, le vent vous emportent, entre le désir de plonger dans la mer et celui de manger du poisson le plus vite possible.

*

« Moi, ce jour-là, je fais grève. Je n'en parle pas, avec personne. Vous pouvez dormir chez moi mais ce sera comme si je n'étais pas là. Vous avez bien fait de revenir, vous verrez de vos propres yeux. »

Paola avait été catégorique au téléphone.

« Elle ne s'est jamais remise du 3 octobre, reconnaissait Melo en toute simplicité. Elle a beaucoup souffert à l'époque, et chaque année elle n'attend qu'une chose : que la journée se termine. »

Arrivés chez eux, nous prîmes possession de nos chambres et décidâmes d'aller nous promener, puisque la commémoration était prévue pour le lendemain.

« On va en ville, papa ?

– *Amunì.* »

Nous traversâmes le village sous un soleil incandescent puis nous grimpâmes sur une hauteur, escortés par trois chiens errants.

« Il est toujours là, le trou ?

– Oui, derrière, quelque part. »

Mais il ne m'écoutait déjà plus. Il restait immobile, les mains dans les poches, l'appareil photo autour du cou, sans photographier, la tête ailleurs. La géométrie rectiligne du centre devait lui rappeler non pas une prison mais les salles d'un hôpital. Il pensait à son frère, j'en étais sûr.

Quand la tante Nunzia mourut, papa me demanda de l'accompagner à la veillée funèbre, qui se tiendrait dans la maison de Capaci où la tante avait vécu toute sa vie. J'avais neuf ans. Je connaissais à peine la tante Nunzia, c'était une sœur de ma grand-mère, et son existence se résumait pour moi à ce lien familial. Étendue sur le lit, elle me paraissait minuscule sous son voile blanc. Elle avait les mains nouées sur son cœur, ses doigts osseux entrelacés dans la couronne d'un rosaire. Elle mourut vieille fille. Ma grand-mère et ses sœurs la pleuraient, assises près du lit sur des chaises noires en bois. « Cette pauvre Nunzia, *mischina*[1] », disaient-elles, les mots entrecoupés de soupirs. Mon grand-père était dans la cuisine avec les autres hommes, tous assis autour de la table de marbre blanc. Aucun ne parlait. Ils buvaient du café. Unique bruit : la petite cuillère tournée dans la tasse. Seul à ne pas le faire, mon grand-père, qui ne sucrait pas son café. Mon père tient cela sans doute de lui.

« Papa », lui avais-je demandé en un temps lointain de mon enfance, j'avais peut-être quatre ans, « pourquoi tout le monde boit son café avec du sucre et pas toi ?

1. « Pauvre petite. »

– Parce que moi, j'aime le goût du café. »

Pendant cette veillée passée dans la cuisine, on m'offrit du café. J'étais un jeune homme, j'avais neuf ans, maintenant, ce n'était pas rien. Cette offre de café se fit elle aussi dans un mutisme rigoureux, le regard d'un de ces hommes vers une tasse vide suffit, et un mouvement de tête en avant de ma part pour accepter. Mon grand-père me le versa de la cafetière posée au centre de la table. Un monsieur – j'ignorais complètement qui c'était – me tendit le sucre. Je fis signe plusieurs fois que non, et reculai de deux pas. Grand-père eut un hochement de tête satisfait. Une esquisse de sourire lui vint même au coin des lèvres. Il devait être très fier de moi, s'il avait permis à ce signe de bonheur d'éclairer un instant le cadre sévère du deuil. Quand j'eus terminé mon café, ce furent mon père et moi qui réparâmes la coupure entre le monde des « hommes muets dans la cuisine » et celui des « femmes en larmes au chevet de la morte ». Nous entrâmes dans la chambre de veille pour aller nous arrêter quelques instants devant le corps mort de Nunzia, dans un silence religieux. Peut-être ai-je récité mentalement un *Ave Maria* et un *Salve Regina*, je ne me souviens pas. Nous dîmes adieu à la tante Nunzia avec deux baisers, un sur chaque joue, je serrai la main à toutes les vieilles femmes de la pièce, et nous revînmes dans la cuisine où nous saluâmes les présents d'une courte inclinaison de la tête. Mon grand-père posa la main sur ma joue et me fit une longue et profonde caresse sur le visage.

Sur la route du retour, mon père se mit à parler, tout à coup :

« Tu as vu la tante Nunzia ? Elle était vraiment toute petite sur ce lit. C'était une personne tellement douce, toujours gentille. »

Les mains sur le volant, les yeux sur le ruban d'asphalte. Et penché en avant.

« Elle n'avait pas étudié, elle n'était pas allée à l'école, elle avait du mal à lire, et pourtant, à sa façon, elle était d'une intelligence raffinée, jamais un mot de trop, et toujours pondérée dans son jugement. »

À qui parlait-il pendant ce retour sur l'autoroute ? Parce que j'en étais sûr, ce n'était pas à moi.

« Certains pourraient dire que la tante Nunzia a vécu de manière frugale, pourtant il y avait un grand trésor en elle. La vie de quelqu'un ne se résume pas aux livres qu'il a lus. C'était une petite créature toute menue, mais tellement précieuse. »

La voiture était peut-être le seul endroit où mon père parlait tout haut. À la maison, il devait y avoir trop de bruit, avec mon frère et moi qui n'arrêtions pas de crier. À l'hôpital, impossible de trouver du temps et de l'espace pour soi. À l'intérieur de l'habitacle en revanche, le bras à la portière, c'était pour lui le lieu idéal pour évaluer, analyser, méditer. La voiture devait être son ermitage secret.

Je me dis que j'avais de la chance d'être là avec lui.

« Il y a toute une série de questions qu'on peut se poser aussi, et qui sont liées les unes aux autres, sur le sens de la vie. Où le chercher, ce sens ? Dans le travail, dans les études, dans une activité manuelle, dans la religion ? La tante Nunzia n'était pas mariée, elle n'a pas eu d'enfants et pourtant elle ne m'a jamais donné l'impression d'être malheureuse. Il émanait d'elle un tel calme, une telle sérénité. »

Ce jour-là, le caractère inéluctable du deuil lui apparaissait pour ce qu'il était : la seule certitude de l'existence.

« Il y a plus de richesse dans un seul être humain que dans tous les livres du monde », conclut-il après un long silence. Il ne parla plus du reste de la journée. Je crois qu'il avait abandonné toute fierté et s'inclinait devant le mystère impénétrable de la vie et de la mort sa servante. Il fixait la route devant lui, ses deux mains serraient le volant, seul ancrage au bord du gouffre.

*

Le soir du 2 octobre, avant le dîner, je laissai mon père discuter avec Melo dans le coin-repas et j'appelai l'oncle Beppe.

« Il m'est arrivé une histoire de merde ! »

Telle fut sa première phrase, avec ce mot qui n'appartenait pas à son vocabulaire et trahissait la terreur qu'il avait éprouvée.

« Maintenant je vais bien, Daviduzzo, mais hier il a fallu m'hospitaliser de nouveau parce que j'avais 39 °C de fièvre. La deuxième fois en vingt jours. Mais aujourd'hui je me suis retapé et je m'en fous. »

Comme les gamins, pensai-je, les gros mots pour se donner du courage.

« Je vais te raconter une chose amusante, à propos des cercles qui se ferment. Le 31 et le 47, tu sais à quoi ça correspond dans la *smorfia*, dans le livre des rêves ? Ma grand-mère Giovanna – c'est un des rares souvenirs que j'ai d'elle, d'ailleurs –, quand elle était à Palerme, m'envoyait toujours jouer pour elle les numéros du loto. Elle rêvait toujours du mort qui parle, le 47, et elle le jouait en même temps que le 31. Je me rappelle très clairement être allé plusieurs fois pour elle aux guichets du loto jouer cette paire. Des sommes modestes, quelques lires. Plus tard, adulte, il m'est arrivé de les rejouer, comme ça, pour rire. Et hier, pendant que j'étais dans mon lit à l'hôpital, quelqu'un me passe le journal et qu'est-ce que je vois ? C'est rare que l'œil aille se perdre sur la colonne des résultats du loto. Eh bien, hier, c'est la première chose que j'ai lue. Et là, j'ai cru à une hallucination. J'ai revérifié aujourd'hui, pour être sûr. La paire sortie sur la roue de la loterie de Palerme, c'était le 47 et le 31. Ma grand-mère savait que j'étais à l'hôpital ! Et dire que personne ne me croit ! »

Il éclata d'un grand rire, que j'écoutai jusqu'au bout. C'était un rire plein, montrant de quel puits de désespoir il sortait. Quand ce rire s'éteignit, je parlai :

« Tu l'as dit à papa, pour ton hospitalisation ?

– Non, non, ne dis rien, je ne veux pas l'inquiéter, profitez de votre séjour à Lampedusa. Ce lymphome, je vais l'envoyer se faire foutre, putain de bordel. Je t'embrasse très fort. »

Peut-être était-il fatigué. Peut-être l'idée du souci que se ferait mon père l'avait-elle secoué. La peur réapparaissait sous ses mots. S'il y avait quelqu'un dont mon oncle était terrifié de se séparer, c'était mon père. Leur amour était tissé de regards à distance, comme le vigneron et la vigne, qui se comprennent et s'aiment de loin, et ne se touchent vraiment que lorsque vient le temps des vendanges. C'était un sentiment brodé par l'un et l'autre chacun dans sa chambre, où ils avaient fait dans le mur une ouverture par laquelle l'œil s'assurait de la présence de l'autre, et cette seule présence remplissait leur cœur.

« Alors *ciao*, Beppuzzo.

– Daviduzzo, attends, je veux te raconter une dernière chose, toujours à propos des cercles qui se ferment. »

Et je l'écoutai en gardant tout à l'intérieur de moi, tandis que des frissons montaient le long de mon dos et que mon pied battait la mesure sur le sable de Cala Pisana.

Le lendemain, mon père et moi sortîmes très tôt.

« Paola, tu me confirmes bien le rendez-vous pour plus tard ? »

Elle avait dû se réveiller longtemps avant l'aube. Sans doute n'avait-elle pas dormi de la nuit. Elle fit un signe de tête, difficile à interpréter. Elle fumait et regardait la mer, comme quelqu'un qui a perdu un ami cher et qui, ne trouvant pas d'issue dans l'anniversaire de ce jour, se livre corps et âme aux tourments de la mémoire, attendant que le calendrier rétablisse une distance avec le deuil.

La journée était chaude, presque trente degrés.

« Ce serait bien d'aller se baigner, après, m'avait dit mon père.

– Ce serait bien. »

Il y avait beaucoup de commémorations du 3 octobre, sans lien entre elles. Chaque association – mais on pourrait dire aussi chaque personne – célébrait la sienne, dans une fragmentation éloquente de la mémoire, miroir de l'émiettement qui se perçoit dans l'île. Une association avait prévu une marche, une autre une cérémonie œcuménique à l'église, et il y aurait le défilé du gouvernement, des autorités européennes, et de tout l'appareil militaire. L'île grouillait de caméras de télévision et de journalistes, qui repartiraient le lendemain, quand la saison estivale serait officiellement terminée et que Lampedusa redeviendrait vide jusqu'à l'été suivant. Mon père passa une bonne demi-heure à photographier des chiens, qui dormaient sous des bancs pour se protéger de la chaleur du premier soleil. Il leur caressait le dos. Onze mois s'étaient écoulés mais, comme promis, il était revenu les voir.

Impossible de ne pas remarquer le grand nombre de bateaux de pêche qui rentraient au port.

Du quai, nous leur demandâmes : « Qu'est-ce qu'il s'est passé ?

– On était à la Tabaccara pour le souvenir. »

Ils formaient une petite flotte. Ils avaient préféré une célébration intime, loin des clameurs médiatiques. Après avoir jeté l'ancre, de nombreux pêcheurs firent un signe de croix, posèrent l'index droit sur leurs lèvres puis envoyèrent ce baiser avec un bref regard vers Cala Tabaccara, avant de se saluer.

Quelques survivants, revenus pour l'occasion, marchaient dans les rues du village. Désemparés par toutes ces caméras de télévision, ils se déplaçaient groupés, côte à côte, comme une phalange. « Pauvres gars », dit un vieil homme, en les voyant ainsi serrés les uns contre les autres. « Tout ce qu'ils demandent, c'est une tombe sur laquelle pleurer, une pierre sur laquelle prier pour les parents et amis qu'ils ont vus mourir sous leurs yeux. Et il n'y a toujours pas de tombes qui portent leurs noms. Ils ne demandent rien d'autre. Et nous, on leur donne quoi ? Pas de réponse, et ces télés qui sont pointées sur eux pour le journal de treize heures. »

Nous passâmes par la caserne des gardes-côtes, visite très rapide, pas même le temps de prendre un café avec le commandant.

« Quel est votre métier ? demanda le commandant à mon père quand ils se serrèrent la main.

– Cardiologue, à la retraite maintenant.

– Vous connaissez donc les situations d'urgence.

– Je vous comprends très bien. »

Je vis briller dans leurs pupilles une étincelle, comme un pacte tacite entre eux, dont ils ne diraient rien en présence de quelqu'un qui, comme moi, n'appartenait pas à cette confraternité qui est en contact quotidien avec la mort.

Tout de suite, le téléphone du commandant sonna.

« Vous m'excusez un instant ? »

L'appel venait d'une vedette en mission. Ils avaient repêché plus de cinq cents personnes depuis quelques heures et, pendant qu'ils les amenaient jusqu'à un navire de la marine qui les prenait en charge, ils avaient été interceptés par un canot pneumatique transportant cent cinquante-quatre jeunes gens.

« Dans quel état ils sont ? Très mauvais ? On va voir ça. »

Le commandant ne trahissait aucune nervosité. Ce devait être sa manière de ne pas diffuser l'angoisse.

« Vous, ça va ? Tout le monde va bien ? Bon, procédez au transbordement, et recontactez-moi l'opération terminée. »

Il nous regarda, téléphone coincé entre l'oreille et l'épaule, ouvrant un peu les bras comme pour s'excuser. Nous le saluâmes d'un bref signe de tête.

« Ça ne s'arrête jamais », lâcha mon père en descendant les marches de la caserne. Il parlait en tant que médecin, comme s'il était de nouveau en blouse blanche et que le monde était un patient à soigner. Il s'arrêta pour regarder la mer, et resta là, face à l'immensité de cette étendue d'eau salée. Si nous avions été en voiture, il aurait sans doute exprimé tout haut le tourbillon des pensées qui le traversaient.

Il avait l'air solide sur ses jambes, mais ce n'était qu'une apparence.

« Je t'emmène quelque part, papa. J'espère que ce sera ouvert. »

Il me suivit sans poser de questions, s'efforçant de marcher à mon pas.

L'été, quand j'étais enfant, mon père, mon petit frère et moi allions à la Natura. La Natura était un sentier dans les bois qui commençait près de la petite maison où habitaient mes grands-parents maternels, à San Martino delle Scale, et qui grimpait jusqu'à arriver sur la place du village. Sur ce sentier surplombé d'un entrelacs de branches, le sol était un tapis de feuilles en décomposition, tandis qu'un ruisseau coulait à côté, comme un compagnon de voyage. Le petit bruit joyeux de l'eau qui court nous accompagnait tout le trajet. La lumière filtrait à travers les branches, créant un effet dramatique de clair-obscur. J'avançais en sautant d'une zone lumineuse à une autre, comme si je suivais le seul chemin possible pour ne pas m'égarer dans les bois. Quand j'avais couru trop vite, je me retournais brusquement. Papa était là, la main de mon petit frère dans la sienne, les yeux sur moi. À l'arrivée sur la place du village, il achetait le journal, qu'il lisait assis au bar en sirotant un café, mon frère mangeait une glace et je jouais à un jeu vidéo, *Frog*. Nous rentrions par le même sentier. Lors d'une de nos premières balades à la Natura, mon père avait trouvé un bâton aussi grand que lui. Le bâton du chef, disait-il. Il le prenait toujours, s'y appuyait dans les pauses et dictait ainsi au monde les temps de la marche. Commander tenait pour moi dans ces gestes : guider le long d'un sentier, veiller sur ceux qui y marchent, décider quand on s'arrête et quand on repart. Je ne voulais grandir que pour hériter de ce bâton. Je deviendrais assez grand pour avoir la force de ne le tenir que d'une main, comme lui. Mon père me semblait alors un homme fait, et pourtant c'était encore un jeune homme.

Nous descendîmes les marches d'une ruelle étroite où des adolescents de Lampedusa se tenaient par les mains en se jurant un amour éternel.

« On va à *Porto M.*, c'est une tentative pour témoigner de ce qui se passe. Au fil des années, les jeunes du collectif Askavusa de Lampedusa ont ramassé des objets restés dans les embarcations qui abordaient l'île. Les premières sont arrivées dans les années 90. Comme on ne savait pas quoi en faire, on a empilé les canots sur l'esplanade devant le Porto Nuovo. Ça n'a pas tardé à devenir un cimetière à bateaux. Quand ç'a été plein à craquer, on les a enlevés. Il n'en reste que quatre, aujourd'hui. Tu les vois ? Ils ont l'air d'avoir été oubliés là, pas d'être les restes d'une opération de nettoyage. »

Je lui parlai de Franco, le menuisier de l'île, témoin en 2009 d'une tragédie qui demeura invisible.

« Un bateau venait d'arriver, récupéré en haute mer par les gardes-côtes. Quand les gens sont descendus, tout le monde a été surpris parce qu'ils restaient là, sur le môle Favaloro, à fixer l'horizon. Ils attendaient l'autre bateau. Ils étaient partis à deux. Dans l'autre, il y avait leurs frères et sœurs, les enfants et les parents, les amis et les compagnons de cellule. Ce second bateau n'est jamais arrivé. Il devait y avoir à bord plus de quatre cents personnes. C'était deux jours avant le tremblement de terre à L'Aquila. On en a à peine parlé. Il faut des cadavres pour que les infos en parlent. Ç'a été un coup terrible pour ceux qui étaient sur la digue. Franco en a été bouleversé comme jamais dans sa vie. En marchant, il a remarqué deux planches posées l'une en travers de l'autre dans ce qu'il restait d'une épave. Comme un crucifix. Il est très croyant, il se reconnaît dans le symbole de la croix. Alors il a décidé de construire des croix avec le bois des rafiots arrivés à Lampedusa et d'en distribuer à tout le monde. C'est sa façon à lui de sensibiliser les gens. »

Mon père regardait l'esplanade qui avait servi pendant des années de cimetière à bateaux.

« Dieu sait ce qu'elles ont vu, ces planches de bois », murmura-t-il, d'une voix imperceptible, comme un soupir échappé du flot de ses pensées.

« Une des croix de Franco a été achetée par le British Museum. Des signes qui évoquent Lampedusa, il y en a partout maintenant, ça s'est multiplié. Après cette tragédie fantôme, Franco et quelques amis avaient restauré un vieux hangar où ils avaient installé une douche, une sorte de geste de charité, ni vu ni connu, *ammucciùni ammucciùni*. Ils y emmenaient les jeunes qui étaient sortis du centre par le trou du grillage pour qu'ils puissent se laver et pour leur donner des vêtements propres, des chaussettes, des T-shirts, des slips, des gros pulls. Petit à petit, même certains de ceux qui râlaient contre ces jeunes ont laissé des sacs devant le hangar, avec du shampoing, du savon, des chaussures, des pantalons. À force de les voir marcher pieds nus dans les rues, maigres et couverts de haillons, ils ont fini par les aider, au moins pour les besoins de première nécessité. »

Nous étions arrivés à *Porto M.*

« Viens, c'est ouvert. »

La première chose qui nous frappa, ce furent les objets exposés aux murs, posés sur des étagères.

« On dirait un musée », me souffla mon père. Il observait tous ces objets et les mettait sans doute aussitôt en perspective parce qu'ils témoignaient directement d'une partie cruciale de la vie de ceux qui avaient affronté ce voyage. Comment on part. Ce qu'on emporte avec soi. Ce qu'on juge indispensable. Ce qu'on choisit comme compagnon d'aventure.

Il commença à photographier. L'objectif de l'appareil comme une extension du regard diagnostique. Il se comportait en médecin.

Objets trouvés dans les embarcations : chaussures de sport, claquettes, gourdes, bouteilles en plastique, bols de porcelaine, bocaux, verres, une bouteille de lait d'amande, des paquets de sucre, des packs de jus de fruits, des boîtes en plastique alimentaire, un pack de lait, canettes de soda, bocaux individuels de confiture, paquets de cigarettes, blagues à tabac, briquets, papier à rouler, médicaments, comprimés, suppositoires, pommades, pansements, spray, flacons, brosses à dents, dentifrice, peignes, trousses de toilette, barrettes à cheveux, crèmes, rouges à lèvres, gloss, rasoirs, pommades contre les piqûres d'insecte, sacs à bandoulière, flacons d'épices fortes, bouteilles d'huile d'olive, boîtes de tomates, une bouteille de ketchup, des bouteilles de lait, une canette de Coca, une petite bouteille de bitter, une boîte de thon, un paquet de lingettes, des paquets de spaghettis, du jus de pomme, des sachets de thé, des boîtes de conserve, casseroles, couvercles, plats en verre, passoires, poêles, théières, cafetières, réchauds de camping, pinces, couteaux, cadenas, tournevis, clés, cisailles, téléphones portables, vêtements noirs pour femmes, vêtements bleu uni pour femmes, vêtements à fleurs pour femmes, jeans, châles, un paréo, des T-shirts, portefeuilles, bagues, cassettes de musique, CD, la Bible, le Coran, des livres de prières, des équipements rudimentaires de pêche.

Je marchais et il me suivait, une dizaine de mètres en arrière. Quand je ne le voyais plus, je m'arrêtais. Je savais qu'il examinait quelque chose à travers l'objectif. L'arête d'un mur, une brèche, un cadenas fermé depuis des années. Le soleil était haut. Il était dix heures du matin, il faisait chaud et la mer serait un délice. Le nombre de clichés qu'il avait pris devait suffire car il avait pressé le pas pour me rejoindre et me demandait : « Où on va maintenant ?

– Au cimetière. »

Il se trouve à Cala Pisana, sur la crête la plus haute de la baie.

Nous étions revenus à notre point de départ.

Devant la grille du cimetière se trouvait Paola.

Moins de deux cents mètres à vol d'oiseau séparaient le cimetière de sa maison.

« Sais-tu que c'est elle qui s'est chargée de rédiger les inscriptions sur les tombes de ceux qui sont morts en mer ?

– C'est vrai ? »

Paola tergiversait, mais la stupeur de mon père devait être telle qu'elle entama sa détermination à faire grève et la poussa à répondre :

« Au début, il n'y avait rien de marqué, juste des dates dans le béton. Avec une association dont je faisais partie à l'époque, on a écrit à l'ancien maire pour l'informer que nous voulions arranger les tombes et y inscrire quelque chose. D'un côté, le maire nous a sommés de ne rien faire et, de l'autre, il a voulu s'en occuper lui-même. Il a fait planter des écriteaux qui disaient : "Immigré non identifié, de sexe masculin, ethnie africaine, couleur noire.”

– Vraiment, ils avaient marqué ça sur les tombes ? »

Paola alluma une cigarette.

« Oui, c'était ça leurs pancartes, et ça a déclenché un sacré bordel. Le maire s'est défendu en disant qu'il avait juste copié ce qui était marqué sur les fiches des cadavres. C'est le nouveau maire qui m'a chargée personnellement de remplacer les anciennes inscriptions par d'autres plus décentes. J'ai passé des jours et des jours devant des feuilles blanches, et je défie quiconque de savoir quoi écrire sur un mort qu'on ne connaît même pas. À force de réfléchir, j'ai fini par me rendre compte que tout ce que je pouvais dire, c'était les circonstances de la découverte du corps et de la mort. La première, c'était Ester Ada, une jeune fille décédée pendant le sauvetage, mais les circonstances de sa mort n'ont jamais été élucidées. On avait sauvé plus d'une centaine de jeunes du *Pinar*, un navire marchand turc. Mais le gouvernement de l'époque a refusé au navire turc l'autorisation de pénétrer dans les eaux territoriales italiennes, du coup le *Pinar* est resté cinq jours au large, avec le corps d'Ester à bord. Au bout de cinq jours, l'autorisation a été accordée et le navire a pu s'amarrer à Lampedusa pour y débarquer tous ces jeunes et le corps d'Ester. »

Paola marcha vers le cimetière.

« On a célébré un rite religieux auquel ont pris part de nombreux habitants, surtout des femmes. »

Son pas s'était accéléré. Elle nous emmena dans une

petite allée latérale et s'arrêta au bout de quelques mètres.

« Elle est là, Ester. »

L'inscription disait : « Le 16 avril 2009, le navire marchand turc *Pinar*, faisant route vers la Tunisie, porte secours à une embarcation en difficulté. Malgré des conditions de mer épouvantables, l'équipage du navire parvient à la remorquer et prend à bord 155 migrants, tous d'origine sub-saharienne. Le corps sans vie d'Ester Ada, 18 ans, nigériane, est également monté à bord. Pendant quatre jours interminables, le *Pinar* reste à 25 milles au sud de Lampedusa, bloqué par un bras de fer absurde entre le gouvernement maltais et le gouvernement italien, qui refusent d'accueillir le navire marchand. C'est seulement le 25 avril que l'entrée dans les eaux territoriales italiennes est autorisée. Les migrants sont enfin accueillis à Lampedusa. »

Il n'y avait pas de vent ce matin-là, mais Paola tremblait. Elle renifla, puis parla sans me regarder. On aurait dit qu'elle rassemblait ses dernières forces pour dire :

« Allez parler avec lui. »

Elle nous indiqua un vieux monsieur qui tenait un arrosoir et se dirigeait vers une tombe. Puis elle prit la direction de la sortie, fit une douzaine de pas et se retourna vers nous.

« Vous êtes là pour déjeuner ? »

Sa boussole s'affolait, il lui fallait un but.

« Oui, bien sûr. »

Elle ne bougeait toujours pas.

Je lui dis : « Pourquoi pas des pâtes avec de l'espadon et des aubergines frites ? Tu fais ça si bien ! »

Paola avait commencé à hocher la tête.

« Avec peut-être une pincée de menthe sauvage. »

Elle leva la main droite, comme pour dire « bonne idée », hocha encore la tête et reprit sa marche pour rentrer, en boitant à chaque pas.

Les inscriptions sur les tombes n'étaient pas définitives. Elles ne pouvaient pas l'être. Elles rapportaient ce qu'on savait : le sexe de la personne enterrée. Ensuite, c'était une série de choses vagues.

« Probablement d'origine sub-saharienne. »

« Âge compris entre 20 et 30 ans. »

« Âge compris entre 30 et 40 ans. »

Ensuite, la date à laquelle le corps avait été trouvé, qui ne coïncide pas toujours avec la date réelle de la mort.

Le nom, le pays d'origine, l'âge restent inconnus.

Le vieux monsieur que Paola nous avait désigné nous attendait. Paola et lui s'étaient parlé au téléphone. Il s'appelait Vincenzo et, de 1978 à 2007, avait été à la fois le gardien, l'employé chargé du ramassage des corps et de la chambre mortuaire, celui qui soudait les cercueils, qui pelletait la terre, le maçon, le jardinier, bref l'homme de peine du cimetière de Lampedusa.

Il nous parla de la première barque venue de la mer dont il s'était directement occupé.

« Ils étaient tous morts. Le courant les avait poussés pas loin du port. C'était en 1996. »

Les autorités militaires l'avaient appelé parce que la puanteur des corps en décomposition était si forte que personne n'avait pu s'approcher du rafiot. Vincenzo, avant de récupérer les cadavres, fit un saut chez lui. Il y prit un pot de menthe sur son balcon et descendit au port, son pot sous le bras. Il détacha quelques feuilles, les roula et les enfonça dans ses narines. Ce n'était pas suffisant. L'odeur était encore trop forte. Alors, il remplit de menthe le masque qu'il avait acheté à la pharmacie. Et il put enfin s'approcher des cadavres. Il y en avait douze. Vincenzo les emporta dans la chambre mortuaire du cimetière, où il les nettoya un à un.

« En ces années-là, j'ai enterré plus de quatre-vingts personnes décédées en traversant la Méditerranée. »

Il l'avait quasiment construit de ses mains, ce cimetière. Il avait planté des arbres, rehaussé les murets, ouvert des allées, trouvé la place pour ensevelir ceux qui étaient venus de la mer. Il continuait à venir ici tous les jours, à pied, quand sa santé le lui permettait. Il balayait les feuilles, nettoyait les allées, apportait des fleurs, arrosait les plantes. Depuis qu'il avait pris sa retraite, plus personne ne s'en chargeait. L'eau dans son arrosoir servait à cela, à perpétuer le culte des morts, même ceux que personne n'avait connus.

Les douze premiers cadavres furent ensevelis dans un endroit que Vincenzo avait dégagé au milieu du cimetière. Il y avait onze hommes et une femme. Les hommes furent disposés le long d'une rangée horizontale, côte à côte. Puis la jeune fille. Il n'y avait plus qu'un seul lopin de terre disponible, et Vincenzo, pour lui donner l'intimité qu'elle méritait, planta un laurier-rose et enterra son corps derrière, pour que les feuilles et l'ombre la protègent du soleil et de l'hiver, du mistral et des regards méchants. Pour chaque tombe, il fabriqua une croix de bois. Des années plus tard, il y eut une polémique parce que certains disaient que plusieurs de ces morts étaient musulmans et que la croix n'était pas le symbole qui convenait.

« Pour moi, il n'y a pas d'être humain différent des autres, les gens d'ici, c'est comme ça qu'on s'occupe d'eux, on les ensevelit sous la terre à l'ombre d'une croix, parce qu'on est tous égaux. Qu'on soit noir, vert ou rouge, à l'intérieur on a tous les os blancs. »

Vincenzo avait repris sa marche, à petits pas. Arrivé devant une rangée de croix, il arrosa les plantes, enleva les feuilles, balaya le marbre, changea les fleurs. Quand il eut terminé, il se dirigea vers la sortie, se retourna une dernière fois et nous salua de la main.

*

J'avais quatre ans. Nous étions à Marina di Tusa. Il n'y avait pas de sable sur la plage, uniquement des galets, et pour aller se baigner on marchait les bras écartés pour garder l'équilibre, puis, dès que les pieds touchaient l'eau, on s'y jetait, parce que la mer devenait vite profonde. Papa m'avait pris, les mains sous les aisselles, et m'avait fixé d'un air sérieux :

« Prêt ? »

Je n'avais aucune idée de ce dont il parlait.

« Oui », répondis-je. C'était toujours la bonne réponse pour se faire aimer, quand il proposait quelque chose.

« On va voir un film avec des fusillades ? »

« On va à la Natura ? »

« Tu viens à la gare avec moi chercher l'oncle Beppe ? »

Oui, papa.

Tout ce que tu voudras.

L'eau lui arrivait à la poitrine. Sa chaîne en or avec un christ en croix était comme un poisson qui nageait autour de son cou. Je n'avais pas pied et je sentais la chaleur de ses mains sous mes aisselles. Il me sourit.

« Bon, tu es prêt ?

– Oui. »

Et il me lança loin, au large, là où la mer est d'un bleu sombre et où lui-même n'avait pas pied.

Je commençai à agiter furieusement les bras. Pourtant, je voyais que papa était tranquille. Je comprends aujourd'hui qu'il devait vivre un énorme conflit, entre l'instinct de venir me repêcher et l'espoir que je m'en sorte tout seul, quitte à m'enfoncer et boire la tasse. Mais il ne bougeait pas et continuait de me regarder. Cela ne pouvait vouloir dire qu'une chose : mon père avait confiance en moi. Ma fureur devint de moins en moins chaotique, mes bras commencèrent à alterner leurs coups avec mes jambes. Ça y était. Je flottais, exactement comme lui. Je sentis un frisson me parcourir et une fierté exploser dans ma poitrine. Je savais nager. Mon père avait parié sur moi et je ne l'avais pas déçu.

Je passai le reste de l'été dans l'eau. J'appris la nage libre et la plongée en apnée.

Dans ma petite enfance, parler avec mon père était facile.

« Comment on bouge les pieds ?
– Comme ça.
– Et si je suis fatigué ?
– Fais la planche et respire.
– Et s'il y a du courant ?
– Tu ne mets pas un pied dans l'eau.
– Et s'il y a un poulpe qui passe ?
– Tu ne bouges pas et tu gardes l'œil sur lui. Et quand il vient tout près, tu l'attrapes d'un coup sec. »

Nous découvrions la vie, moi en nommant les choses pour la première fois et lui en essayant de me les expliquer. « Pourquoi le soleil est chaud ? Est-ce que la mer, elle pense ? Et ceux qui meurent, ils rêvent ? »

Nous nagions ensemble, une brassée après l'autre, l'air qu'on prend une fois à droite, une fois à gauche, les pieds qui battent toujours au même rythme, les abdominaux serrés, le ventre rentré à l'intérieur. Je m'alignais sur lui et je suivais sa trajectoire, il était bien plus rapide que moi, mais le sillon tracé était clair et je me sentais heureux de nager derrière lui, parce que j'avais une direction à suivre, et j'apprenais à sentir la mer sur moi comme une couverture chaude, qui me réchaufferait le cœur pendant tout l'hiver de la vie.

*

Paola était à table. Elle avait allumé une cigarette, pendant qu'une autre, oubliée, se consumait dans le cendrier.

Elle était dévorée par les fantômes.

Melo était une boule de nerfs. Assis sur le canapé,

il vérifiait sans cesse l'écran de la caméra de sécurité dirigée sur la porte d'entrée, tout en feuilletant un livre qu'il refermait après quelques secondes, puis il se levait, prenait un autre livre, lançait un coup d'œil à l'écran, se rasseyait, feuilletait le livre quelques secondes, le refermait, regardait l'écran, se relevait, tournait à travers la pièce. Quinze bonnes minutes s'écoulèrent ainsi. Mon père, assis dans le patio, visionnait ses photos sur son appareil. Soudain, Melo bondit sur ses pieds. Sur l'écran de la caméra de sécurité, il avait aperçu un petit point qui se dirigeait vers la maison. Il traversa le patio pieds nus et alla ouvrir la porte d'entrée.

« Paola ! Simone est là ! »

Le nom de son ami sembla la réveiller de sa torpeur.

« Qu'est-ce que tu fais ici ? »

Il était onze heures et demie et il faisait trente-deux degrés dehors.

« Melo m'a invité à déjeuner, et puis je voulais dire bonjour à Davide et à son papa. »

Paola s'apprêta à répondre, ses mains remuèrent mais sa voix resta muette.

Simone s'assit à table.

Melo feignait l'indifférence, mais il était évident que toute son attention était concentrée sur lui.

« *A Pà* », commença Simone. Puis il se tut. Il ne recommença à parler que lorsque Paola se tourna vers lui.

« Ça y est. J'y suis allé.

– Quand ? demanda Paola en se penchant vers son ami, les sourcils froncés.

– Là. J'ai accosté il y a pas dix minutes. J'ai même pas pris de douche. »

Le moment valait bien une cigarette.

« Raconte », dit Paola, de nouveau dans le présent.

Melo laissa échapper un sourire puis s'allongea sur le canapé, prit un livre et fit semblant de lire.

Simone raconta qu'il avait été contacté par un journaliste de la télé.

« Ils veulent faire une émission sur le 3 octobre. *A Pà*, ils m'ont demandé de descendre avec leur plongeur pour les scènes sous-marines. Et tu sais où ? À la Tabaccara. »

Dans les situations extrêmes, l'homme n'est pas du tout comme dans les livres.

« Je n'y avais plus jamais plongé depuis. »

On ne sait pas si c'est un acte fondateur ou une petite apocalypse.

« J'ai répondu sans réfléchir. Je leur ai dit : "*Amunì*, on descend." Et j'ai plongé il y a deux heures, Pà. »

Simone m'avait décrit ce qu'il aimait le plus dans la mer.

« Le silence. Et la musique que tu entends en toi quand tu regardes le monde sous l'eau. »

Je lui avais demandé ce qu'il avait le plus admiré à l'occasion d'une plongée.

Il s'était illuminé et m'avait répondu aussitôt :

« Un requin.

– Tu n'as pas eu peur ?

– Non, c'est magnifique, un requin. J'ai eu une poussée d'adrénaline, mais voir un requin vivant, c'est stupéfiant. Il se déplace avec une lenteur solennelle. C'est un empereur. Spectaculaire. »

Tout son corps était traversé de joie.

« *A Pà*, tu sais que je continue à les voir, les morts ? Aux nouvelles, quand il y a des infos sur des bateaux sauvés en mer, chaque fois j'ai envie de pleurer. Et pour peu que je sois seul à la maison, si par exemple ma femme et mes filles sont sorties, ça y est : les larmes coulent, l'une après l'autre. Ils auraient dû m'amener voir un psychologue, m'obliger à parler avec quelqu'un. Les morts que j'ai vus dans l'épave du bateau, je les ai encore tous là, à l'intérieur. Malgré ça, aujourd'hui, j'ai replongé exactement au même endroit. *Accussì*, sur un coup de tête, sans penser aux conséquences. Et tu sais quoi ? Sur l'épave posée au fond de l'eau, il y a des coraux maintenant, des algues, des poissons qui tournent autour. La première fois, il n'y avait que des cadavres, mais aujourd'hui la mer a tout transformé. J'ai vu que la mort pouvait être dépassée. Un retour à la vie, quoi ! Excuse-moi, je peux pas mieux l'exprimer mais je sais que tu me comprends, Pà. »

Paola tira les deux dernières bouffées de sa cigarette et l'éteignit en plusieurs fois, insistant sur le geste. La fumée, très vite, se dissipa.

Paola sourit à Simone et Simone lui sourit en retour.

Brusquement, elle se leva de table.

« Melo, *amunì*, ouvre la fenêtre parce que je dois commencer à faire frire les aubergines pour le repas. »

Melo avait les yeux brillants.

« Tu peux pas l'ouvrir toi-même ?

– Non, toi.
– Pourquoi moi ?
– Tu l'ouvres mieux. »
Et elle se dirigea vers les fourneaux.
Melo, qui était resté muet toute la journée, râla à nouveau :
« Il fait trop chaud, je tiens pas debout, qu'est-ce que tu fais comme pâtes ?
– Espadon, aubergines.
– Avec la menthe sauvage ?
– Bien sûr.
– Alors, je vais faire un effort pour tenir jusqu'au déjeuner et après j'irai me coucher. »
Simone était parti en nous disant qu'il repassait chez lui prendre du vin, se doucher, et qu'il reviendrait vers une heure, une heure et demie, deux heures maximum.

« Bon, Beppuzzo, je te dis au revoir. »
Mais ce soir-là, le 2 octobre, Beppe avait quelque chose encore à me dire.
Il était fatigué mais ne voulait pas raccrocher.
« Daviduzzo, attends, je veux te raconter une dernière chose, toujours à propos des boucles qui se referment. Ça concerne aussi ton travail. Dans le lit à côté du mien, il y a un jeune Libyen, même pas majeur, il est arrivé avec son père sur un rafiot. Ils ont accosté à Lampedusa. Ce garçon a une forme de leucémie très grave. Son père est à son chevet. C'est quelqu'un de très digne. Il prie souvent au chevet de son fils, à mi-voix. Il comprend l'italien, ce monsieur, et on a un peu parlé. Je lui ai dit : “Peut-être qu'il y a un seul Dieu avec des noms

différents. Vous pouvez prier un peu pour moi ?" Il m'a pris la main et il a commencé à prier en arabe, une litanie de mots tellement doux, tellement différents de ceux qu'on entend crier à la télé. Ça m'a ému. Puis il a posé la main sur mon front et il a soufflé dessus, ses doigts se sont ouverts et la prière était finie. J'ai tout de suite pensé aux cercles qui se ferment, Daviduzzo, toi qui écris sur Lampedusa et aussi sur moi, et moi qui me retrouve ici avec deux personnes dont les bateaux ont justement abordé à Lampedusa. Et dans mon cœur j'ai remercié notre système sanitaire qui nous offre, à moi qui ai travaillé des années dans cette structure, et à ce garçon qui a affronté la mer, les mêmes soins et les mêmes attentions, comme il se doit, et qui fait que lui et moi sommes voisins de chambre dans cet hôpital, à lutter ensemble pour quelque chose de beau, qui est la vie. »

Nous nous sommes dit au revoir et tout disait que nous arrivions au dernier chapitre d'une histoire qui se referme.

Chez mes grands-parents, dans la chambre à coucher de l'oncle Beppe, il y avait un caïman empaillé. L'oncle Rocco, le même qui allait plus tard lui offrir le frangipanier, l'avait rapporté d'un long séjour en Amérique centrale où il avait joué les aventuriers. À son retour en Sicile, il avait débarqué du bateau avec ce caïman empaillé sous le bras, un cadeau pour sa sœur, ma grand-mère. Ma grand-mère n'avait pas du tout apprécié, à la différence de l'oncle Beppe. Mon grand-père s'était abstenu, et l'opinion de mon père, dont l'influence sur sa mère était grande, emporta la décision. Mon père assura qu'il le trouvait magnifique, et l'absurde caïman entra dans la chambre de Beppe où il resta, sur le haut de l'armoire, tel un gardien inoffensif. Quand je passais la nuit chez mes grands-parents, je dormais dans la chambre de mon oncle, qui ne vivait plus à Palerme depuis des années. Je saluais le caïman d'un signe de tête respectueux, puis je m'asseyais derrière le grand bureau avec un plan de travail en verre et deux tiroirs sur le côté. Dans l'un, il y avait des pièces de monnaie de tous les pays étrangers que mon oncle avait visités. Dans l'autre, une grande quantité de squelettes de stylos à plume. Je suivais dans ces objets les traces de sa vie, essayant d'imaginer d'où ils venaient. Je pillais son armoire. Ses T-shirts m'allaient très bien. Au fil des ans, je les ai tous mis. C'était une façon de le sentir avec moi. Ils parlaient de l'Amérique et de l'Europe du Nord, et je me sentais beau dedans, moins intimidé par les filles. En face de l'armoire, près du canapé-lit d'un vert militaire, reposait dans un coin une vieille guitare classique à cordes métalliques. Quand j'étais enfant, mon oncle, avant que ses doigts n'oublient les quatre accords qu'il connaissait, me jouait *Rock 'n' Roll Suicide* en murmurant les paroles parce qu'il hésitait à chanter fort.

Quand il était parti étudier en Amérique, il était allé à Coney Island.

« Je me suis même baigné ! C'était en mai, il faisait un froid à crever. »

Un plongeon dans les eaux de ses héros.

« Et la mer elle était comment ?

– À ton avis ? Dégueulasse. »

Et il riait de son beau rire d'enfant qui vient de faire une farce, un rire où l'innocence et la malice se mêlent et qui fait briller au fond des yeux une tenace joie de vivre.

Nous sortîmes dans le patio, mon père et moi.

L'air était envahi du parfum charnel de l'aubergine frite.

« Papa, Beppe a eu un problème.

– Je sais. Je l'ai appelé ce matin. »

La mer était lisse. Aucun vent n'en ridait la surface. Elle était verte, turquoise, bleu foncé.

« Qu'est-ce qu'il t'a dit ?

– Il a eu un problème de vésicule. Ça pourrait être des calculs dans les voies biliaires, qui auraient bougé. Il n'avait vraiment pas besoin de ça. »

Mon père fixait l'horizon. Il restait les bras croisés pour mieux réfléchir, se délester de ses connaissances médicales.

« Moi, je lui ai parlé hier soir. Il m'a dit que c'était juste de la fièvre et qu'il allait déjà mieux. Il m'a parlé aussi de son voisin de chambre.

– Il ne voulait pas t'inquiéter. »

Le bruit des vagues qui se brisaient sur la rive me parut soudain très fort.

« Qu'est-ce qu'il a ?

– Une gêne, de la douleur, des nausées. Il va falloir une intervention pour les enlever, probablement par endoscopie. Ça ne serait pas grave, en soi, mais avec ses défenses immunitaires très basses, à cause de la thérapie, n'importe quel détail peut se transformer en tragédie. Beppe m'a dit : “Cette vésicule, tu ne crois pas qu'elle aurait pu attendre encore un an, qu'on en ait fini avec ce cancer ?” »

Mon estomac se noua.

« Comment il va ?

– Il est déprimé. Ce matin il m'a encore parlé de son frangipanier, combien il est content de toute cette floraison tardive. Il se voit en lui. Une pensée qui l'aide sans doute à tenir jusqu'à la fin de chaque journée : tant que ma plante fleurit, il ne peut rien m'arriver. »

Ce matin-là, je m'étais demandé pourquoi mon père n'avait toujours pas fait le portrait de son frère.

Je venais de le comprendre.

Aucune photo n'est plus précise que le sentiment qu'on éprouve pour une personne aimée. Ils étaient plus que des frères. Ils étaient le vocabulaire commun écrit ensemble depuis le début de leur vie.

Ma respiration devenait irrégulière.

Tout allait-il disparaître ou entrer dans quelque chose de plus grand ?

« Papa, il est en train de mourir ? »

Je ne voulais plus refaire l'erreur commise avec Totò.

Il fallait que je parle de ce qui me faisait mal.

Mon père posa la main sur mon épaule.

Je me tournai vers lui.

Dans ses rides plus marquées, dans la blancheur de ses cheveux, dans les signes du temps inscrits sur son visage je pouvais lire quarante-deux années de vie, la mienne.

Ses yeux bleus sur moi, il écarta les bras, paumes vers

le ciel, puis haussa les épaules en hochant un peu la tête.

Il ne savait pas.

Il ne pouvait pas savoir.

Il n'est donné à personne de connaître l'avenir.

Puis, d'un signe du menton, il montra ce qu'il y avait devant nous.

Devant nous, la mer.

Elle était d'une beauté émouvante.

Il avait raison.

On ne pouvait rien faire d'autre.

Arroser le frangipanier, admirer ses bourgeons, jouir de son parfum, être dans le présent en essayant de rester dignes face à ce qui allait arriver.

Alors, je laissai mes anxiétés de côté et m'abandonnai aux pensées heureuses qui me font me sentir bien : l'été où mon père m'a appris à nager, mes promenades avec mon oncle, les bras de Silvia, le parfum de menthe sauvage et d'aubergines frites qui se répandait dans l'air. Ma respiration s'était calmée, et mon père et moi avions enlevé nos T-shirts, nos chaussures et nos pantalons et, déjà en maillot de bain, nous nous étions jetés à l'eau et nous nagions, bénis par la canicule de midi, côte à côte, vers la pointe de la baie, une brassée après l'autre, les mains ouvertes comme pour un accueil, le jour glissant sur la peau et l'horizon devant nous, immobile, hors d'atteinte et sans limites.

Ce n'étaient pas des calculs dans la vessie.

C'était la diffusion du lymphome, partout.

Le corps de l'oncle Beppe se défaisait de l'intérieur.

« Il va falloir un autre cycle de chimio. »

Mon père me parlait au téléphone d'une voix mesurée.

« Hélas, on n'avait pas besoin de ça, vraiment pas. »

Dans les silences entre les mots se niche la peine.

Il passait maintenant plus de temps à Reggio Calabria qu'à Palerme.

Et mon oncle était plus souvent en hématologie que chez lui.

Quand j'allai lui rendre visite à l'hôpital, je fus immédiatement frappé par son visage racorni. Les joues creusées, les pommettes qui saillaient, exactement comme Totò. C'est la mort qui dessèche, qui absorbe l'eau de la vie, qui décharne l'être humain. Ses os, à l'intérieur, avaient l'air de trembler. Mais ses yeux. Oui. Ses yeux n'avaient pas changé. Son regard était toujours le même : ironique, plein d'étonnement. Un regard bon. Des yeux d'enfant prêtés à un corps adulte qui se désagrégeait.

« Il va vraiment mal », dis-je à Silvia en la prenant dans mes bras et en m'accrochant à elle.

Son état ne cessait d'empirer.

Le radeau prenait l'eau de plus en plus.

Mon père ne mangeait pas, il dévorait. Il coupait la viande avec une force exagérée, couteau et fourchette ne cessaient de heurter l'assiette, les bouchées qu'il engloutissait étaient trop grosses, il mâchait avec fougue, comme s'il allait mordre la table. Il était assis, mais ses jambes continuaient de bouger.

« Je vais nager », disait-il à ma mère sur le seuil de la maison. Mais c'était faux. Il n'allait pas nager à la piscine, il allait se battre à coups de poing avec l'eau.

Trois jours avant Noël, une dernière complication se déclara : les médecins avaient trouvé du liquide dans le péritoine de Beppe.

« C'est grave, papa ?

– Oui. »

Il me regarda comme j'avais dû le regarder moi-même, des années et des années plus tôt, quand nous étions dans le cœur touffu de la Natura.

« On y va ensemble, voir Beppe ?

– Bien sûr, papa, on va y aller.

– Demain ?

– Partons à six heures, c'est moi qui conduirai.

– Merci.

– Tu ne dois pas me dire merci, je suis content qu'on aille le voir ensemble. »

Nous parlâmes pendant le voyage des portraits d'Avedon, des photos de Capa en Sicile, des chiens dans la neige de Koudelka. Maintenir la mort hors de l'habitacle.

Sur le ferry, nous allâmes sur le pont des passagers.

« C'est toujours beau, cette traversée. »

Le vent du détroit ébouriffait mes cheveux.

« Oui, c'est très beau. »

Pendant tout ce temps, mon père regarda la Sicile que nous laissions derrière nous.

C'était l'anticipation d'un détachement.

Lors de la dernière visite que je lui avais rendue à Reggio, j'avais apporté à mon oncle une copie de ces notes, imprimées et reliées. Elles s'arrêtaient au 3 octobre, avec mon père et moi qui nagions à Cala Pisana.

« Voilà, Beppuzzo, j'ai fait vite, je l'ai écrit.
– Comment ça s'appelle ?
– *La Loi de la mer.*
– Et c'est vrai que je suis dedans ?
– Oui.
– Et mon frère aussi ?
– Oui.
– Je peux le lire ?
– Je te l'ai apporté pour ça. »

Il le commença tout de suite, malgré sa fatigue, car il n'arrivait plus à dormir la nuit. Il y passa deux jours. Même tourner les pages le fatiguait. À la fin, il me dit : « Il y a quelque chose que je n'ai pas compris. Il y a tellement de naufrages là-dedans. Et moi ? Est-ce qu'il y a un port pour moi ? »

Il me tint la main pendant tout ce temps, en me la caressant de ses doigts fins. Je restai silencieux, sans répondre, à seulement le regarder. Je n'avais pas encore compris que la réponse était là, dans la caresse de nos mains.

Nous rencontrâmes Silvana, à l'hôpital.

« Beppe vient d'entrer en salle d'opération. »

Le liquide trouvé dans son péritoine était dû au lymphome.

Il s'étendait partout.

Il avait commencé aussi à comprimer le rein.

« On va lui poser un cathéter. »

Un troisième cycle de chimiothérapie était la seule chose à tenter.

« La chimio du désespoir », dit papa.

Dire ces mots avait dû être très douloureux.

« De toute façon, Beppe est lucide. Ce sera à lui de décider. »

Mon oncle avait les chevilles gonflées, l'estomac gonflé, le visage décharné. Je le vis sur le brancard, à sa sortie de la salle d'opération. On le ramenait en hématologie.

« On se voit cet après-midi », lui dis-je.

Il me vit, comprit ce que je disais, et me sourit.

Il m'attendrait.

Nous aurions encore un moment à nous.

Mon premier souvenir de Beppe remonte à mes deux ans. Mes parents m'avaient laissé pendant deux heures seul avec lui, et il m'emmena faire un tour dans le « ventre de Palerme ». Mes parents m'avaient nourri jusqu'alors d'aliments choisis et délicats. L'oncle Beppe me fit manger du *pane e panelle*[1]. Ces deux heures avec lui anéantirent tous leurs efforts. Ils furent tellement abasourdis par sa réponse – « Et alors, ça ne peut pas lui faire de mal de manger du *pane e panelle* » – qu'ils décidèrent de la tenir pour évangile.

À partir de ce jour, je commençai à manger de tout. Et j'ai toujours eu un estomac en béton. Je suis fermement convaincu que je le dois à ce baptême de la cuisine de rue, où mon oncle fit office de parrain.

C'est simple, finalement : l'oncle Beppe, pour moi, c'est le goût du *pane e panelle*.

---

1. Petits pains longs coupés en deux, farcis de beignets de pois chiches.

Mon père arriva le premier dans le service, à seize heures. Il enfila une blouse et des chaussons stériles et alla voir son frère. Beppe ne cessait de le réclamer, surtout la nuit, quand la fièvre et l'obscurité le poussaient à chercher une protection. Ils étaient proches, les deux frères, ils s'observaient et leurs deux mondes s'emboîtaient parfaitement. Quand papa sortit, ce fut lui qui m'attacha la blouse verte dans le dos.

« Il t'attend, il est lucide. »

Mon père était comme rasséréné par cette dernière rencontre, il me sembla que l'idée que j'allais voir son frère était pour lui un motif supplémentaire de sérénité.

Quand j'approchai du lit, l'oncle Beppe me reconnut aussitôt.

« Daviduzzo. »

Sa voix était un murmure.

Il prit ma main et fit une chose à laquelle je ne m'attendais pas.

Il se mit à sangloter.

« Non, Beppuzzo, ne pleure pas. »

Il s'arrêta. Les larmes tremblaient à ses paupières, son souffle était suspendu. Pourtant, même en cet instant, son extraordinaire capacité d'écoute brilla encore une fois, contenant ses larmes, endiguant sa peur. Mon oncle désirait sincèrement m'entendre.

Et moi, moi j'avais les yeux calmes, le souffle calme, calme aussi le battement de mon cœur dans ma cage thoracique.

« Si tu étais seul dans ta chambre d'hôpital, mon oncle, sans personne qui vienne te voir, alors oui, tu aurais raison de pleurer. Mais tu as vu tous ces gens qui te rendent visite ? Ici, dans la salle d'attente, j'ai croisé des collègues à toi, des élèves, des patients, des infirmiers, tous venus pour te voir. Et plein d'amis qui nous demandent des nouvelles, qui nous téléphonent. Les relations vraies, c'est ça, Beppe. Les rapports humains, ça échappe au temps. »

Il commença d'acquiescer.

« Et puis il y a nous deux, Beppuzzo. Toi et moi. Notre histoire est belle, elle dure depuis que je suis né et elle durera toute ma vie. Parce que la balance penche du côté positif, non, mon oncle ? »

Il acquiesçait de ses grands yeux qui me regardaient. En eux vibrait un amour infini. Il n'y avait pas au monde d'yeux aussi profonds pour contenir cet amour.

« Tu ne seras jamais un souvenir, pour moi, Beppuzzo. Ce n'est pas dans ma mémoire que je te garderai. Le temps, c'est toujours au présent. Et tu es toujours avec moi. Dans la constellation de mon existence, tu es l'une des étoiles les plus lumineuses. Et tu sais ce qu'elles font les étoiles ? Elles traversent le temps pour nous montrer le chemin. »

Il caressait le dos de ma main avec son pouce, et ses doigts effleuraient ma paume.

Comme tu as toujours eu les mains douces, mon oncle.

« Daviduzzo, je voudrais vivre quelques années de plus.

– On le voudrait tous. Mais un, deux, dix ans de plus ne déplaceraient pas d'une virgule ce que nous avons construit ensemble. »

Il esquissa un sourire.

« Alors, murmura-t-il, nous ne devons pas pleurer.

– Il y a trop de belles choses pour qu'on pleure », répondis-je.

Il laissa son sourire enfantin fleurir sur son visage. Je posai un baiser sur son front et je sortis.

« Tu l'as trouvé comment ? demanda mon père, qui vibrait tout entier.

– On s'est parlé. On a fait la paix avec tout. »

Je lui racontai notre dialogue et je vis sa tension se relâcher, ses traits se détendre, sa respiration s'apaiser. Son pied s'était immobilisé et son regard s'accrochait au mien.

« C'est incroyable comme on traverse des phases, dit-il. D'abord, la stupeur, “Ça ne peut pas m'arriver à moi”, puis le déni, “Ils ont dû se tromper, ce n'est pas une tumeur”, puis il y a la colère, et la dépression, “Pourquoi moi ?”, suivie d'une sorte de calme et, pour finir, ce que j'ai ressenti dans cette chambre, la phase où c'est lui qui nous console, nous qui restons ici. Comme si, à l'approche de la mort, on sentait quelque chose qu'on n'a jamais perçu dans la vie, et qui rend celui qui va mourir miséricordieux à l'égard de ceux qui demeureront de ce côté-ci de la vie. »

Papa réenfila la blouse et entra de nouveau dans le service où était son frère.

Son pas n'était plus le même.

Il ne marchait plus comme marchent les médecins.

Il marchait comme marche un frère aîné.

On ne commença même pas la troisième chimio, qui aurait été de l'acharnement thérapeutique. On le fit sortir de l'hôpital et on le ramena chez lui. De toute l'Italie des collègues vinrent le voir, des médecins qu'il avait formés, la famille, les amis. Mon oncle demandait à chaque visite d'être installé dans le fauteuil, pour recevoir assis chacun de ses visiteurs.

J'avais un regret, celui de ne pas avoir nagé avec mon oncle dans l'île.

Je lui lus les notes que je venais de prendre.

Lampedusa, de *lepas*, l'écueil qui écorche, érodé par la fureur des éléments, et qui résiste et confirme sa présence dans la vastitude infinie du grand large. Ou bien Lampedusa de *lampas*, flambeau qui brille dans le noir, lumière qui défie l'obscurité.

« Qu'est-ce que tu en penses ? Je l'ajoute dans le livre ?

– Oui, mets-le à la fin, c'est beau de conclure avec la lumière et la résistance. »

Il mourut dans son lit à la fin de décembre.

Il nous avait demandé à tous de ne pas pleurer.

« C'est seulement maintenant qu'il est mort que je me rends compte à quel point mon frère avait de belles mains », avoua mon père.

La première nuit sans mon oncle s'écoula paisiblement.

Le soleil n'était pas encore levé quand je sortis sur le balcon.

La Sicile devant moi venait d'émerger de sa contemplation de la nuit, comme le jour d'avant, comme le jour d'après, jusqu'à la fin des jours.

On devinait l'aube.

Elle s'attardait encore, retenue par la mer.

Je m'accoudai à la balustrade et j'attendis ses rayons sur mon corps.

DU MÊME AUTEUR

Aux Éditions Albin Michel

SUR CETTE TERRE COMME AU CIEL, roman, 2016.

« LES GRANDES TRADUCTIONS »

(extrait du catalogue)

CHRIS ABANI
Graceland
traduit de l'anglais (Nigeria) par Michèle Albaret-Maatsch
Le Corps rebelle d'Abigaïl Tansi
Comptine pour enfant-soldat
traduits de l'anglais par Anne Wicke

CHRIS ADRIAN
Une nuit d'été
traduit de l'anglais (États-Unis) par Nathalie Bru

DANIEL ALARCÓN
Lost City Radio
La Guerre aux chandelles
traduits de l'anglais (États-Unis) par Pierre Guglielmina
Nous tournons en rond dans la nuit
traduit de l'anglais (États-Unis) par Nathalie Bru

SASCHA ARANGO
La Vérité et autres mensonges
traduit de l'allemand par Dominique Autrand

ALESSANDRO BARICCO
Châteaux de la colère, prix Médicis étranger 1995
Soie
Océan mer
City
Homère, Iliade
traduits de l'italien par Françoise Brun

MISCHA BERLINSKI
Dieu ne tue personne en Haïti
traduit de l'anglais par Renaud Morin

ANDREI BITOV
Les Amours de Monakhov
traduit du russe par Antonina Roubichou-Stretz
La Datcha
traduit du russe par Christine Zeytounian-Beloüs

ELIAS CANETTI
Histoire d'une jeunesse, la langue sauvée, 1905-1921
Les Années anglaises
Le Livre contre la mort
traduits de l'allemand par Bernard Kreiss
Le Flambeau dans l'oreille, histoire d'une vie, 1921-1931
traduit de l'allemand par Michel-François Démet
Jeux de regard, histoire d'une vie, 1931-1937
traduit de l'allemand par Walter Weideli

VEZA ET ELIAS CANETTI
Lettres à Georges
traduit de l'allemand par Claire de Oliveira

ELIAS CANETTI ET MARIE-LOUISE MOTESIZKI
Amants sans adresse, correspondance 1942-1992
traduit de l'allemand par Nicole Taubes

GIUSEPPE CULICCHIA
Le Pays des merveilles
traduit de l'italien par Vincent Raynaud

DANIEL DEFOE
Robinson Crusoé
traduit de l'anglais par Françoise du Sorbier

ANTHONY DOERR
Toute la lumière que nous ne pouvons voir
traduit de l'anglais (États-Unis) par Valérie Malfoy

DAPHNÉ DU MAURIER
Rebecca
traduit de l'anglais par Anouk Neuhoff

JOHN VON DÜFFEL
De l'eau
Les Houwelandt
traduits de l'allemand par Nicole Casanova

DAVIDE ENIA
Sur cette terre comme au ciel
traduit de l'italien par Françoise Brun

JILL ALEXANDER ESSBAUM
Femme au foyer
traduit de l'anglais (États-Unis) par Françoise du Sorbier

TOM FRANKLIN
La Culasse de l'enfer
traduit de l'anglais (États-Unis) par François Lasquin et Lise Dufaux
Smonk
traduit de l'anglais (États-Unis) par Michel Lederer

FABIO GEDA
Le Dernier Été du siècle
traduit de l'italien par Dominique Vittoz

HEIKE GEISSLER
Rosa
traduit de l'allemand par Nicole Taubes

ESTHER GERRITSEN
Frère et sœur
traduit du néerlandais par Emmanuelle Sandron

JOÃO GUIMARÃES ROSA
Diadorim
traduit du portugais (Brésil) par Maryvonne Lapouge-Pettorelli
Sagarana
Mon oncle le jaguar
traduits du portugais (Brésil) par Jacques Thiériot

PEDRO JUAN GUTTÉRREZ
Trilogie sale de La Havane
Animal tropical
Le Roi de La Havane
Le Nid du serpent
traduits de l'espagnol (Cuba) par Bernard Cohen

VANGHÉLIS HADZIYANNIDIS
Le Miel des anges
traduit du grec par Michel Volkovitch

GEORG HERMANN
Henriette Jacoby
traduit de l'allemand par Serge Niémetz

JUDITH HERMANN
Maison d'été, plus tard
Rien que des fantômes
Alice
Au début de l'amour

Certains souvenirs
traduits de l'allemand par Dominique Autrand

ALAN HOLLINGHURST
L'Enfant de l'étranger
traduit de l'anglais par Bernard Turle
La Piscine-bibliothèque
traduit de l'anglais par Alain Defossé

MOSES ISEGAWA
Chroniques abyssiniennes
La Fosse aux serpents
traduits du néerlandais par Anita Contas

EDWARD P. JONES
Le Monde connu
Perdus dans la ville
traduits de l'anglais (États-Unis) par Nadine Gassie

YASUNARI KAWABATA
Récits de la paume de la main
traduit du japonais par Anne Bayard-Sakai et Cécile Sakai
La Beauté, tôt vouée à se défaire
traduit du japonais par Liana Rossi
Les Pissenlits
traduit du japonais par Hélène Morita
Première neige sur le mont Fuji
traduit du japonais par Cécile Sakai

YASUNARI KAWABATA ET YUKIO MISHIMA
Correspondance
traduit du japonais par Dominique Palmé

GYULA KRÚDY
L'Affaire Eszter Solymosi
traduit du hongrois par Catherine Fay

OTTO DOV KULKA
Paysages de la métropole de la mort
traduit de l'anglais par Pierre-Emmanuel Dauzat

MICHAEL KUMPFMÜLLER
La Splendeur de la vie
traduit de l'allemand par Bernard Kreiss

DORIS LESSING
Le Carnet d'or
Les Enfants de la violence
traduits de l'anglais par Marianne Véron
Journal d'une voisine
traduit de l'anglais par Marianne Fabre
Si vieillesse pouvait
traduit de l'anglais par Natalie Zimmermann

PRIMO LEVI
Le Système périodique
traduit de l'italien par André Maugé

EDOUARD LIMONOV
Autoportrait d'un bandit dans son adolescence
traduit du russe par Maya Minoustchine
Journal d'un raté
traduit du russe par Antoine Pingaud
Le Petit Salaud
traduit du russe par Catherine Prokhorov

PAUL LYNCH
Un ciel rouge, le matin
La Neige noire
traduits de l'anglais (Irlande) par Marina Boraso

DAVID MALOUF
Harland et son domaine
traduit de l'anglais (Australie) par Antoinette Roubichou-Stretz
Ce vaste monde,
prix Femina étranger 1991
L'Étoffe des rêves
traduits de l'anglais (Australie) par Robert Pépin
Chaque geste que tu fais
Une rançon
L'Infinie Patience des oiseaux
traduits de l'anglais (Australie) par Nadine Gassie

THOMAS MANN
Les Confessions du chevalier d'industrie Felix Krull
Dr Faustus
traduits de l'allemand par Louise Servicen

SÁNDOR MÁRAI
Les Braises
traduit du hongrois par Marcelle et Georges Régnier

L'Héritage d'Esther
Divorce à Buda
Un chien de caractère
Mémoires de Hongrie
Métamorphoses d'un mariage
Le Miracle de San Gennaro
traduits du hongrois par Georges Kassai et Zéno Bianu
Libération
Le Premier Amour
L'Étrangère
La Sœur
Les Étrangers
Les Mouettes
Ce que j'ai voulu taire
La Nuit du bûcher
Dernier jour à Budapest
traduits du hongrois par Catherine Fay

ALESSANDRO MARI
Les Folles Espérances
traduit de l'italien par Anna Colao

VALERIE MARTIN
Maîtresse
Indésirable
Période bleue
Le Fantôme de la Mary Celeste
traduits de l'anglais (États-Unis) par Françoise du Sorbier

JOHN MCGAHERN
Les Créatures de la terre et autres nouvelles
Pour qu'ils soient face au soleil levant
traduits de l'anglais (Irlande) par Françoise Cartano
Mémoire
traduit de l'anglais (Irlande) par Marie-Lise Marlière

STEVEN MILLHAUSER
La Vie trop brève d'Edwin Mulhouse, écrivain américain, 1943-1954, racontée par Jeffrey Cartwright,
prix Médicis étranger 1975,
prix Halpérine-Kaminsky 1976
traduit de l'anglais (États-Unis) par Didier Coste
Martin Dressler, le roman d'un rêveur américain,
prix Pulitzer 1997
Nuit enchantée
traduits de l'anglais (États-Unis) par Françoise Cartano

Le Roi dans l'arbre
Le Lanceur de couteaux
traduits de l'anglais (États-Unis) par Marc Chénetier

ROHINTON MISTRY
Une simple affaire de famille
L'Équilibre du monde
traduits de l'anglais (Canada) par Françoise Adelstain

STUART NADLER
Le Livre de la vie
Un été à Bluepoint
traduits de l'anglais (États-Unis) par Bernard Cohen
Les Inséparables
traduit de l'anglais (États-Unis) par Hélène Fournier

CHRISTOPH RANSMAYR
La Montagne volante
Le Syndrome de Kitahara
Atlas d'un homme inquiet
Cox ou la Course du temps
traduits de l'allemand par Bernard Kreiss

JENS REHN
Rien en vue
traduit de l'allemand par Bernard Kreiss

MORDECAI RICHLER
Le Monde de Barney
traduit de l'anglais (Canada) par Bernard Cohen

DONAL RYAN
Le cœur qui tourne
Une année dans la vie de Johnsey Cunliffe
traduits de l'anglais (Irlande) par Marina Boraso

ARTHUR SCHNITZLER
Gloire tardive
traduit de l'allemand par Bernard Kreiss

HUBERT SELBY JR.
Last Exit to Brooklyn
traduit de l'anglais (États-Unis) par Jacqueline Huet et Jean-Pierre Carasso

PAOLO SORRENTINO
Ils ont tous raison
Youth
traduits de l'italien par Françoise Brun

DAVID SZALAY
Ce qu'est l'homme
traduit de l'anglais pa Étienne Gomez

TARUN TEJPAL
La Vallée des masques
traduit de l'anglais (Inde) par Dominique Vitalyos

SOPHIE TOLSTOÏ
À qui la faute ? Réponse à Léon Tolstoï
traduit du russe par Christine Zeytounian-Beloüs

F.X. TOOLE
Coup pour coup
traduit de l'anglais (États-Unis) par Bernard Cohen

NICK TOSCHES
La Main de Dante
Le Roi des Juifs
traduits de l'anglais (États-Unis) par François Lasquin
Moi et le diable
Sous Tibère
traduits de l'anglais par Héloïse Esquié

DUBRAVKA UGRESIC
Le Ministère de la douleur
traduit du serbo-croate par Janine Matillon

ERICO VERISSIMO
Le Temps et le Vent
Le Portrait de Rodrigo Cambará
traduits du portugais (Brésil) par André Rougon

CHRIS WOMERSLEY
Les Affligés
La Mauvaise Pente
La Compagnie des artistes
traduits de l'anglais (Australie) par Valérie Malfoy

PAUL YOON
Autrefois le rivage
Chasseurs de neige
traduits de l'anglais (États-Unis) par Marina Boraso

Composition : Nord Compo
Impression : CPI Bussière en juin 2018
Éditions Albin Michel
22, rue Huyghens, 75014 Paris
www.albin-michel.fr
ISBN : 978-2-226-39886-4
ISSN : 0755-1762
N° d'édition : 22664/01 – N° d'impression : 2036709
Dépôt légal : septembre 2018
Imprimé en France